D0545293

A Geneviève

Pierre LECARME

100 IDÉES POUR ANIMER UN MARIAGE

•MARABOUT•

Merci à Alain Méneghel pour ses conseils musicaux et à tous ceux qui se retrouveront au fil des pages et m'ont fait part de leurs expériences heureuses ou malheureuses d'invités.
Merci à tous ceux qui ont eu la gentillesse de m'inviter à leur mariage.
Merci également à Christian Favory pour sa relecture attentive.

Ce livre est dédié à Anne et Claude qui ont attendu que leurs enfants, David et Pierre, soient assez grands pour les aider à faire de leur mariage une vraie fête ; aux grands-parents de ces derniers, Marcel et Geneviève, pour la belle image qu'ils nous donnent de leur fidélité aux autres comme à eux-mêmes.

Illustrations : Christophe Montagut.

Sommaire

De bonne heure ! 11

Conseils pour réussir 15

Debout autour d'un verre 23
La bise et le bouquet 24
Le corbillon de la mariée 25
Jacques a dit 26
Ni oui ni non 28
Trois fois oui, trois fois non 29
J'aperçois… 29
La mariée a perdu la clé de son trousseau… 31
Le garçon de café 32
Comment est mon mari ? 33
Les mariages 35
Tipoter 36
Ma grand-mère m'a offert… 38
Jeux de chats 39
Quatre coins 41
Devinettes de mariage 41
Charades de mariages 44
Charades mimées 47
Parler d'amour 47
L'invité surprise 50

Assis autour des tables 55
Je me présente 56
Je m'appelle 57
Montrer du doigt 58
Citron, citron, citron 59
Tip, tap, top 60
Chacun son pot 61
Aimes-tu tes voisins ? 63
Assis, debout 64
Ote-toi de là que je m'y mette 65
Le portrait 66
Portrait chinois 67
Portrait initiales 69
Anneau sous la table 70
Anneau furet 71
Mare, canards, grand art 72
Le chasseur et le canard 74
C'est toi, c'est vous 75
Connaissez-vous Pierre ? 77
L'anneau et la paille 79
La taupe 80
L'homme, la femme et le rouleau à pâtisserie . . . 81
Le téléphone arabe 82
Grimaces 83
Vraoum ! 85
Majesté 86
Pauvre petit chat malade 87
La jarretière 88
Le panier garni 90

Pour danser 93
Boule de neige 94
Mots couplés 95
Tu l'as dans le dos ! 96
Partenaire aléatoire 97
Couples célèbres 98

Le compte est bon 101
Danse vis-à-vis 102
Le cerceau et le chapeau 103
Whisky, Coca, Tonic 104
La danse du balai 105
La danse du tapis 107
Le chef d'orchestre 108
Les doigts dans le nez 109
Les proverbes 110
Les chaises musicales 113
Quelle famille ? 114
Assieds-toi sur moi 115
Raaaah, lovely ! 116
Bon prince ! 117
Les cruches musicales 119

Pour rigoler ensemble 121
Le nœud géant 122
Trio 123
Roméo et Juliette 124
Couple confiant 125
Les deux voleurs 126
Les jambes qui dépassent 127
Colin-maillard 128
Le nœud des amoureux 129
Relais ping-pong 131
Relais banane 132
La bouteille 133
De fil en fil 134
Sel ou poivre 136
La belle et le clochard 137
Un bonbon entre nous 137
Course aux œufs 138
Trimballe-tout 140
La momie 142
Statues 143

Ballon rasoir 144
Ballon entre nous 146
Avant, après 147
La pièce cachée 148
Cendrillon 149
Un, deux, trois, soleil ! 150
Mère, veux-tu ? 151
Pomme de terre balance 152
Pommes d'amour 153
La bouteille et la bougie 154
Les six assiettes 155
La bête à quatre jambes 156
Farandole sous un balai 157
Coucou cocu 158
Renvoi d'ascenseur 158
Combat de coqs 159
Famille contre famille 160
Clochemerle 162
Travail, voiture, maison 163
Le champion du couteau 165

Jeux et tours spectaculaires 169
Bébé a faim 170
Plate couture 171
Assis, debout, chapeau 172
La minute 173
Placer une phrase 174
Conversations secrètes 176
Première rencontre 177
Questions dos à dos 178
Quatre chaises 180
La leçon de conduite 181
Dans le sac de la mariée 182
Kim odeurs 184
Kim audio 186
Écoutez ça ! 188

L'amiral Nelson 191
La pièce et l'entonnoir 193
Le pari du pont de pièces 194
Le pari du tricolore 195
Le pari du son voyageur 196
Le pari des trois verres 197
Les paris stupides 197
Deviner un nombre 198
Deviner l'âge de quelqu'un 199
Deviner un objet choisi 200
Deviner des mots d'amour 201
Deviner des chansons d'amour 202
Cartes sur table 203
Cartes en questions 205

Jeux exceptionnels 207
Course au trésor 208
Jeu de l'oie des mariés 211
Des gages sans aucun matériel 213
Et avec un peu de matériel 215

Annexes 219
Devinettes et énigmes 220
Faire un petit discours 223
À quoi ça rime ? 225
Quelques textes coquins 227
Des cadeaux en commun 230
En avant la musique ! 233
Des farces et des attrapes ! 242

Index 245

De bonne heure !

Une journée inoubliable

Après plusieurs démarches officielles, la date du mariage vient d'être fixée. Le compte à rebours pour l'organisation vient de commencer ! Bien entendu, vous souhaitez que cette journée soit vraiment l'occasion d'une fête inoubliable.
Vous avez bien raison et ce livre est là pour vous aider à apporter un peu d'humour et une bonne ambiance.

Un mariage (pas) comme les autres

Pour vous, c'est la première fois et cette soirée sera l'occasion de rassembler autour des mariés des personnes qui ne se connaissent pas forcément. Ne vous inquiétez pas, c'est le cas pour la majorité des mariages que l'on peut résumer ainsi :

- Un mariage, c'est un ensemble d'individus, des jeunes et des plus âgés, rassemblés pour une après-midi et une soirée autour d'un couple qui a décidé de fêter son union.
- Mais c'est surtout deux familles qui, la plupart du temps, se rencontrent pour la première fois, et souvent accompagnées d'un groupe de copains des mariés.
- Tout le monde est là pour se faire beau et se montrer sous son aspect le plus séduisant. On mange, on boit, on parle de tout ce qui ne fâche pas. On est d'accord pour s'amuser, soit en tant qu'acteur, soit en tant que spectateur.

• Chacun n'attend qu'une chose : qu'on l'aide à ne pas se sentir ridicule en dansant, en riant et en jouant.
Voyez, finalement, ce n'est pas très compliqué ; la seule difficulté, c'est que toutes ces personnes s'entendent bien. Vous savez, s'ils ont accepté de venir, c'est qu'ils espèrent autant que vous passer une journée inoubliable. Elles ne sont pas si nombreuses, les occasions de faire la fête !

Des idées, des exemples

• La présentation des jeux en plusieurs chapitres vous permet de feuilleter rapidement le livre et de trouver les quelques jeux qui peuvent convenir à la situation.
• Le sommaire et l'index permettent de retrouver un jeu à partir de mots clés.
• Vous avez envie de mener un ou plusieurs jeux avec la volonté de vraiment le(s) réussir : ce livre est vraiment pour vous !

« Dis donc, tu ne pourrais pas nous préparer quelques jeux pour notre mariage ? J'en ai déjà parlé à Pierrot et Slimane, vous devriez bien nous trouver quelque chose !
— Oui, mais tu veux qu'on fasse aussi le jeu de la jarretière ?
— Oui, mais celui-là, c'est mon futur beau-père qui s'en occupe.
— Et tu veux aussi les jeux idiots avec les garçons d'un côté et les filles de l'autre ?
— Pourquoi pas ? Tout est une question de présentation ! Mais j'aimerais bien aussi des jeux où tout le monde puisse participer…
— Bon, eh bien j'appelle deux ou trois copains-copines et, avec ton frère qui connaît bien les deux familles, on devrait y arriver ! »

• Toutes les idées de ce livre sont à piocher, à adapter. Soyez curieux, soyez audacieux, un mariage comme celui-ci, c'est unique !

• Ce livre est conçu et écrit en priorité pour l'amateur (vous savez, celui qui aime !), mais l'animateur pourra également y trouver de nouvelles idées pour proposer des jeux plus élaborés.
Ce n'est pas un livre pédagogique, mais d'abord un livre pratique et sympathique.
• Un dernier conseil : jouez ! Cela signifie que, chaque fois que vous souhaitez tenter un jeu, eh bien faites-le, là tout de suite, avec les personnes qui sont autour de vous. Elles vous serviront de cobayes volontaires. Et c'est tellement plus facile de lancer un jeu auquel on a déjà joué !

Conseils pour réussir

Un animateur, des animateurs

Dans ce livre, nous partons de l'idée qu'il n'y aura pas un seul animateur pour la soirée. Que vous n'avez pas engagé un professionnel clé en main, mais que vous avez confié la responsabilité de l'animation à une seule personne et que celle-ci va s'entourer de deux ou trois autres qui vont la seconder pour lancer différents jeux aux différentes étapes de l'après-midi, de la soirée et de la nuit. Bien sûr, l'animateur peut être une animatrice. Le seul critère est que l'on n'oblige personne à présenter un jeu auquel il n'aurait pas envie de participer.

Pour être un bon animateur

Pour simplifier la lecture, nous parlerons à chaque jeu d'un meneur ; celui-ci ou celle-ci doit répondre à quelques critères :

• Avoir un bon physique. Cela ne veut pas dire forcément être belle ou beau, mais à l'aise. Entre Quasimodo et Claudia Schiffer, et bien dans ses pompes.

• Avoir une élocution facile, un minimum de vocabulaire, du bagout.

• Avoir le mot pour rire, du tact et un minimum de culture (prenez quelques renseignements sur la famille avant la fête pour ne pas commettre d'impair sur des histoires de famille).

• Avoir une voix qui porte, plutôt qu'une sono mal réglée

et un micro qui risque de vous faire passer pour un mauvais animateur de télévision ou de quinzaine commerciale. Mais toutes les personnes qui parlent en public savent moduler leur voix pour obliger leur public à se taire et fixer son attention.

• Soigner bien sûr son costume, ni baba cool, ni croque-mort. Soyez élégant, dans le ton. Rien ne vous empêche de prévoir des tenues différentes. Ne serait-ce qu'une chemise de rechange pour les hommes et de quoi se remaquiller et changer sa coiffure pour les femmes. Tous les invités ont soigné leur toilette, faites-en autant. Et surtout, portez une attention particulière à vos chaussures. Ce sont elles qui vont vous supporter toute la soirée, pas les invités !

Préparez bien votre programme

Une petite réunion de préparation avant la soirée s'impose, ne serait-ce que sur place, pour repérer l'organisation des lieux. Une deuxième la veille, où les tâches sont réparties, le matériel préparé, et que chacun sache quel sera son rôle ou sa fonction. Établir un conducteur de la soirée en relation avec le responsable du buffet et de la musique est une très bonne chose. L'objectif est bien d'être à l'aise face aux problèmes matériels pour pouvoir ensuite improviser. De toutes les manières, vous ne ferez sans doute pas tout ce que vous avez prévu. « C'est comme pour le buffet, il vaut mieux qu'il en reste plutôt qu'il en manque ! » aurait dit ma grand-mère.
Ce qu'il faut retenir :

• La qualité d'une animation, c'est la qualité de sa préparation. C'est en plus un moment privilégié de la fête !

• Pensez à la graduation : au début, les gens ne se connaissent pas, ensuite il y aura des moments de fatigue. Choisissez le bon moment pour les jeux : pour faire connaissance, pour mettre tout le monde à l'aise, pour détendre l'atmosphère autour des tables, pour donner du tonus, pour que tout le monde ait plaisir à danser, pour rigoler ensemble, pour bien finir la fête…

• Faites un choix dans tous les jeux que nous proposons. Ne lancez pas deux fois le même jeu, n'hésitez pas à raccourcir celui qui tombe à plat. Ce n'est pas grave, on passe à autre chose !
• Préparez-vous des pompes (pas les chaussures, on en a déjà parlé ! les bouts de papier avec des solutions). On n'a guère fait mieux que des petites fiches numérotées et écrites d'un seul côté, très lisibles quelle que soit la lumière. Une fiche par jeu. Utilisez vos différentes poches comme des tiroirs pour classer les fiches de notes, et celles qui comportent des questions à lire (avec leurs réponses !).
• N'oubliez pas les accessoires : un sifflet, une crécelle, des petits papiers à distribuer, des papiers et des crayons pour les joueurs, des petits cadeaux… Soignez la présentation !
• Prenez le pouls de la salle, écoutez-la. Précédez le moment où un jeu serait bienvenu, mais ne cassez pas l'ambiance. Un mariage, c'est aussi fait pour parler à des cousins que l'on voit rarement ou pour faire connaissance. Ces deux-là qui viennent de se découvrir, si vous leur cassez les pieds maintenant, il y a peu de chance qu'ils vous invitent à leur futur mariage !

Présentation d'un jeu

Il n'est jamais évident de prendre la parole dans une assemblée. On a toujours l'impression qu'il y a une ou deux personnes qui vous attendent au tournant. Voici quelques petits trucs pour vous aider à être à l'aise dès le départ. Après, c'est parti, c'est plus facile. En fin de livre, nous donnons quelques conseils supplémentaires pour lire un petit compliment ou prononcer un discours.
Les principes de base :
• N'apprenez jamais par cœur. Utilisez vos propres mots. Retenez l'esprit de ce que vous allez présenter et l'essentiel de la règle : « Le but du jeu est de… »
• Ne commencez jamais un jeu sans l'avoir expliqué, utilisez des exemples: faire plutôt que dire.

• Soyez exigeant concernant la réussite du jeu. Ne donnez pas de félicitations quand elle ne le mérite pas. Pas d'à-peu-près : ce qui est vrai est vrai ; ce qui est faux est faux.
• Si vos mots se bousculent, si vous vous embrouillez, si vous vous trompez… dites-le : « Pardon, je me suis trompé. Je recommence… » Cela fera rire tout le monde, et vous serez bien plus à l'aise pour reprendre.

Choisir les concurrents sans vraiment les choisir

Vous n'avez pas l'expérience d'un Nagui ou d'un Patrice Laffont et sans doute pas leur sens de l'à-propos. Mais eux sont rarement en direct, et votre objectif à vous n'est pas de prendre la place de la vedette. Les stars de la soirée, ce sont les mariés, pas vous.
Cela ne vous empêchera pas de vous faire plaisir en essayant de mettre le plus de chances de votre côté, en évitant les pièges que peuvent tendre certains participants.
Quelques conseils :
• Ne laissez pas, en principe, venir à vous des joueurs qui n'ont aucune chance de réussir. S'ils restent muets et coincés, ils repartiront humiliés et le public sera déçu.
• Méfiez-vous des « Monsieur Je Sais Tout », spécialistes écrasants souvent dans un seul domaine. Ayez toujours en tête cette phrase rapportée par Giovanna Marini : « Rien n'est plus incompétent qu'un intellectuel quand vous le sortez de son domaine de compétence. » Au besoin, amusez-vous à la glisser au cours d'un jeu !
• Vous pouvez demander à l'avance aux organisateurs sur quelles personnes s'appuyer pour tel type de jeux. Il y a toujours des invités qui sont capables de présenter un petit tour de cartes, de passe-passe ou d'imiter l'alouette qui turlute (si, si, c'est bien le nom de son cri !). Prenez l'habitude d'annoncer le type de jeu qui va suivre : « Dans un petit moment j'aurai besoin de personnes assez sportives… » Et pour dire cela, vous vous êtes approché d'Hervé que l'on vous a

annoncé comme le successeur potentiel de David Douillet en poids et en gentillesse.
• Observez votre public, vous saurez déceler celui ou celle qui n'attend qu'une chose : qu'on lui propose de venir.
• Enfin, privilégiez les jeux où la majorité des personnes participent. Il est relativement facile de maintenir l'objectif : *Chaque invité devra avoir participé au minimum à un jeu, individuellement ou en petit groupe.*

Animateur-spectateurs

Pour ce mariage, vous remplissez le rôle d'animateur et les invités celui du public. Vous devez donc rapidement obtenir une relation d'échange avec eux, en étant bien conscient qu'il s'agit d'une relation de surface, le temps d'une soirée. N'hésitez pas à :
• Saluer et présenter : « Bonjour, je me présente : Pierre ; Édouard et Laurence m'ont gentiment proposé d'animer cette soirée. Voici donc le premier jeu que je vous propose… »
• Soigner la relation individuelle : pour chaque personne sollicitée, ayez un mot aimable (sur sa toilette, sur son sourire, sur son courage ou son inconscience à affronter d'autres joueurs…). N'oubliez jamais les *bonjour*, *s'il vous plaît*, et *merci*.
• Utiliser la formule simple qui consiste à appeler toutes les personnes par leur prénom en les tutoyant ou en les vouvoyant, et ceci quels que soient l'âge des participants et le lien que vous avez avec eux. Vous mettez ainsi tout le monde sur le même plan, sans le risque de tomber dans le copinage ou la trop grande distance.
En suivant ces quelques conseils vous rassurez le spectateur, le remerciez, le valorisez, et vous suscitez ses applaudissements. En retour, celui-ci écoutera, sera attentif. Et vous laisserez un bon souvenir au moment de partir.
• Susciter les applaudissements, cela veut dire les provoquer, pas les mendier. En premier lieu, ne les refusez pas, ils échappent naturellement au public ; arrêtez-vous et repre-

nez ensuite. Vous apprendrez très vite à situer les applaudissements, il suffit d'une pause, d'un sourire, d'un salut. Motivez-les également : soyez aimable, faites applaudir les spectateurs qui vous aident. Vous aurez ensuite votre part, et sans doute une surprise en guise de remerciement !

• Ne ridiculisez jamais personne. Évitez les postures gênantes (dans le cas d'une seule personne sous les yeux de tous les autres. Pour un jeu collectif, c'est différent). De la même manière, n'utilisez pas les surnoms, les formules idiotes que l'on fait répéter plusieurs fois pour rendre débile. Tout est une question de ton. N'hésitez pas à participer à côté des spectateurs, pour faire la même chose. Restez dans le ton « simplicité et cordialité », évitez toute vulgarité. Ramenez celui qui déraille.

Rappelez-vous deux formules d'humoristes :
« On peut rire de tout, mais ça dépend avec qui ! »
Pierre Desproges
« Je suis peut-être grossier, mais jamais vulgaire ! »
Coluche

À propos des enfants

Ne maintenez pas les petits à l'écart, le mariage doit être pour eux aussi un jour de fête, même si le sommeil les saisira plus tôt que les adultes. Ils participeront avec grand plaisir aux premiers jeux. Certains peuvent même leur être entièrement consacrés. Prévoyez de petits lots sous la forme de pochettes-surprises. Ils sauront même mener certains jeux qu'ils connaissent bien.

Photos et vidéo

Parce qu'ils ont bien tout préparé, les mariés auront sans doute chargé quelques-uns des invités d'assurer une couverture photo et vidéo de l'événement. Cela mérite que vous soyez de mèche avec eux, pour leur signaler quels jeux risquent d'entraîner des situations cocasses. Au cours de certains jeux, l'appareil photographique peut apporter un plus au jeu ou à sa présentation.

Une dernière chose

Tous nos vœux de bonheur vous accompagnent pour que ce mariage reste pour chacune des personnes présentes un moment inoubliable et unique. Qu'il ressemble au bonheur qui vous réunit et rassemble ceux que vous aimez.
Alors, on joue ?

Debout autour d'un verre

La cérémonie à la mairie ou sur le lieu de culte vient de se terminer, les mariés viennent de signer les registres, tout le monde est un peu ému. On attend la sortie officielle des jeunes époux, et vous avez prévu le riz ou les petits cœurs en papier à leur lancer sous le crépitement des appareils de photo. C'est maintenant que la fête va commencer, à quelques pas ou à quelques kilomètres, le temps d'offrir un verre à tous ceux qui sont venus.

Même si l'atmosphère est à la fête et au bonheur partagé, il n'est pas toujours facile de faire l'effort de parler à des gens que l'on ne connaît pas. Et pourtant, tout le monde en a envie. C'est le moment de lancer quelques petits jeux très simples et chaleureux, avec la complicité des mariés.

La bise et le bouquet

Toutes les personnes présentes
Dont la mariée et son bouquet

But

Que le bouquet passe de main en main accompagné à chaque fois d'un baiser.

Déroulement

• C'est bien la mariée qui, le jour du mariage, reçoit et donne le plus de baisers. Ce petit jeu simple est pour elle une jolie façon de remercier tous ceux qui sont présents à cette fête. C'est aussi pour les invités une bien agréable manière de faire connaissance.

• La mariée commence : elle tend son bouquet à un homme qu'elle embrasse. Puis elle lui demande de faire de même avec la dame de son choix. Une petite bise ou un grand ouragan, et le bouquet passe d'un invité à l'autre.

• La mariée peut accompagner les premières embrassades avec fraîcheur et naturel : « Et hop, je trouve vite une autre personne à embrasser. Attention à mon bouquet, j'y tiens ! Vous ne connaissez pas encore le nom de ce monsieur ou de cette dame… ce n'est pas grave, embrassez-vous ! Vous aurez tout le temps de faire connaissance après. »

• Le jeu doit être rapide et le marié doit se débrouiller pour être le dernier à récupérer le bouquet de son épouse.

• Et tous deux d'ajouter avant de s'embrasser : « C'est notre façon à nous de vous dire notre amour et de vous remercier de votre présence. »

Remarques

• C'est un jeu sympa, qui détend l'atmosphère quand tout le monde ne se connaît pas et que chacun attend, piquet planté, le verre à la main. S'il y a beaucoup d'invités, on n'est pas obligé de passer par tous.

• C'est un jeu qui peut se faire par petits groupes. Les

mariés peuvent alors s'amuser à le lancer deux ou trois fois dans la soirée en arrivant par surprise près d'un petit groupe.

Variantes
À la place de son bouquet, la mariée peut utiliser une fleur attrapée dans un vase ou, pourquoi pas, son chapeau. Ou encore mieux, celui de son époux !

Le corbillon de la mariée

De 5 à 15 joueurs en cercle, assis ou debout
Une petite corbeille à pain vide

But
Faire passer la petite corbeille de main en main en prononçant à chaque fois un mot se terminant par le même son.

Déroulement
• Le meneur s'approche d'un groupe d'invités en posant la question : « Dans mon corbillon, qu'y met-on ? » La première personne désignée doit prendre la corbeille dans ses mains et donner un nom se terminant par -on. Puis elle passe la consigne et le corbillon à son voisin.

Exemples
Un aviron, un biberon, un camion, un dragon, un édredon, un faucon (ou un vrai !), un glaçon, un histrion, une illusion, un jambon, un kaleçon « non, ça c'est pas bon ! », un limaçon, un mignon, un nom, un oignon, un papillon, une question, une rédaction, un scorpion, un thon, une union, une végétation, un wagon, du xénon, un zébulon. Bien sûr, il en existe plein d'autres plus ou moins de bon ton, et rien n'oblige à les trouver par ordre alphabétique, nom de nom !

Remarques
• Une fois que l'on a commencé à jouer au corbillon, c'est difficile de s'arrêter.

• Et il n'est pas sûr qu'à trois heures du matin vous n'entendrez pas un invité s'exclamer : « J'en ai trouvé un qu'on n'a pas déjà dit : c'est trognon (ou un autre à sa façon). »

Variantes

On peut utiliser d'autres rimes.

• Par exemple avec le prénom de la mariée :
« Qu'est-ce qu'il y a dans la corbeille d'Emma ? »
ou « Que met Chantal dans sa malle ? »

Exemples

« Dans ma casquette, que voulez-vous que j'y mette ? »,
« Que peut-on plier dans mon panier ? ».

• Certains pourront s'amuser par un : « Sur ma bafouille, qu'est-ce que je gribouille ? » ou par un « Et sous son pull que fait Dudulle ? »

• Mais on ne proposera qu'une seule formule pour la soirée sous peine d'embrouiller les invités.

Voir également, à la page 226, les rimes en -age et en -our.

Jacques a dit

De 10 à 30 joueurs
Aucun matériel

But du jeu

Suivre les consignes données par le meneur sans se tromper.

Déroulement

• Les joueurs sont dispersés ou alignés face au meneur. Celui-ci va donner des ordres variés d'actions ou de gestes simples et précis. Les joueurs n'obéissent que si l'ordre est précédé de « Jacques a dit… ».

• Tout joueur qui exécute un ordre non précédé de la formule magique est éliminé, ou reçoit un gage (voir page 213) !

Remarques

Le meneur va utiliser quelques trucs pour déstabiliser les joueurs les plus attentifs :

• Endormir l'attention par une série de « Jacques a dit… » très rapide et entraînante puis l'interrompre par un ordre non précédé de la fameuse formule.

• Exécuter un geste, sans le faire précéder de « Jacques a dit… ».

• Faire suivre un ordre à exécuter d'un autre qui ne doit pas l'être, alors qu'il en est la suite logique. Exemple : « Jacques a dit levez le pied gauche », « Reposez-le ».

• Changer complètement de ton pour parler d'autre chose. La formule classique est de dire : « C'est bon, on arrête ! » et de faire mine de s'éloigner. Ça marche à tous les coups !

• C'est sans doute l'un des rares jeux que tout le monde connaît, quel que soit son âge. C'est donc le jeu idéal auquel chacun peut participer. Un bon moyen de faire bouger tout le monde !

• Autre avantage : c'est un très bon jeu pour que les invités repèrent qui sera l'animateur de la soirée. Et c'est un excellent moyen pour donner des consignes à un groupe : « Jacques a dit on va tous poser son verre sur le comptoir », « Jacques a dit on va tous quitter la salle pour nous retrouver sur le parking », « Jacques a dit tous ceux qui ont une place libre dans leur voiture lèvent la main », etc.

Variantes

• Certains utilisent la formule « Jacques a dit » pour toutes les phrases et « Jakadi a dit » comme consigne !

• Le prénom de Jacques peut être remplacé par celui du meneur, ou du marié.

• Il existe une version chantée de ce jeu, par Claude François, que l'on pourra utiliser au moment des danses :

« Je connais un jeu vraiment très amusant,
auquel je jouais quand j'étais enfant.
Ce jeu s'appelle simplement Jacques a dit,
il faut que vous y jouiez aussi… »

Ni oui ni non

Un meneur et un joueur
Des spectateurs

But du jeu

Répondre aux questions du meneur sans jamais utiliser ni le « oui » ni le « non ».

Déroulement

• Puisque tout le monde était très ému tout à l'heure quand les mariés ont prononcé leur « oui », c'est par eux que le jeu va commencer. Et cette fois, moins d'émotion, tout le monde va attendre que la mariée se trompe et dise « oui » ou que son conjoint donne son « non ».
• Le meneur doit poser les questions les plus diverses et dans n'importe quel ordre. Quand un joueur se trompe, il est éliminé et on passe à un autre.
• Ce jeu ne demande aucune préparation matérielle, mais il demande au meneur beaucoup d'attention, d'imagination et ne permet aucune hésitation.

Remarques

• Le meneur peut utiliser ce petit jeu innocent pour présenter un invité qui vient de faire quelque chose d'étonnant.

Exemple

« Bonjour Guillaume, tu t'appelles bien Guillaume ?
— Tout à fait !
— On m'a dit que tu revenais d'un pays lointain…
— L'Argentine.
— Il paraît que là-bas, tu as mangé quelque chose d'extraordinaire. Des petites bêtes, je crois ?
— De grosses araignées, oui ! »
Hélas, Guillaume a perdu. Les fins de phrases sont redoutables à ce petit jeu, non ? Mais on aura au moins un nouveau sujet de conversation à la table de Guillaume !
• Dans le même esprit de présentation des invités, la pre-

mière question peut porter sur le lien avec l'un des mariés : « Bonjour Jean-Luc, tu es bien de la famille de Marie-Claire ? »

Trois fois oui, trois fois non

Un meneur et un joueur
Des spectateurs

But du jeu
Répondre aux questions du meneur par « oui » ou par « non », mais trois fois de la même manière.

Déroulement
• Il arrive que le meneur se trouve face à un joueur coriace qui souhaite le mettre en difficulté devant les autres invités. Voici un petit tour pour avoir le dernier mot.
• Et vous d'annoncer : « Comme vous me semblez un candidat particulièrement brillant, je vous propose une petite difficulté supplémentaire. Vous devez me répondre par « oui » ou par « non », à condition de me répondre trois fois consécutivement de la même manière. On y va. »
• Et sans qu'il ait le temps de réagir, posez la première question qui doit forcément entraîner un « oui » : « Vous êtes prêt ? », par exemple.
• Si la réponse est « oui », la deuxième question peut être anodine ou diabolique : « Êtes-vous certain de gagner cette partie ? »
• Si le joueur a répondu « non » à votre première question, il se trouvera forcément coincé.

J'aperçois...

Un meneur
Et un nombre indifférent de convives
Aucun matériel

But

Faire découvrir aux autres joueurs un invité par le détail de son accoutrement.

Déroulement

• Un mariage, c'est vraiment l'occasion de se faire beau. C'est l'une des dernières circonstances où les femmes osent porter de grands chapeaux et se glisser dans des robes aux couleurs étonnantes. Quant aux hommes, il faudra encore quelques siècles pour que les costumes perdent un peu de leur classicisme ! Voilà un jeu d'observation qui permettra au meneur de signaler avec humour un effet de couleurs ou de formes.

Exemple

« J'aperçois du rouge avec du jaune dessus…
— J'ai trouvé, ce sont les fleurs sur la robe de tante Nathalie… qu'on applaudit !
— Moi, j'ai trouvé un petit avion doré sur une jolie piste d'atterrissage…
— C'est facile, c'est la petite médaille dorée que la marraine de Jean porte sur son décolleté. »

Remarques

Il y a deux façons de faire ce jeu : à haute et intelligible voix devant tous les invités, ou discrètement d'une table à l'autre.

• Dans le premier cas, le meneur veillera à le présenter avec finesse et sans mettre quiconque mal à l'aise.

• Dans le second cas, les descriptions risquent très vite d'être assez narquoises, mais relativement discrètes. C'est là que l'on distingue rapidement les gens d'esprit des gougnafiers ! Un conseil : si vous participez à ce petit jeu, vous prenez des risques en changeant de table !

La mariée a perdu la clé de son trousseau…

Un meneur
Un nombre indifférent de convives
Aucun matériel

But du jeu
Comprendre le truc que cache une phrase énigmatique.

Déroulement
• Le meneur s'approche d'un joueur et lui pose cette question :
« La mariée a perdu la clé de son trousseau, et ne peut l'ouvrir sans elle (L). Avec quoi l'ouvrira-t-elle ? »
• La personne interrogée tente une réponse :
« Avec une paire de tenailles ? Je ne sais pas, moi !
— Non, ça ne marchera pas. Une autre proposition ?
— Oui, moi, je propose une pince-monseigneur.
— C'est bon, ça marche. Quelqu'un d'autre veut-il essayer ? Je repose ma question. Ecoutez-bien : La mariée a perdu la clé de son trousseau, et ne peut l'ouvrir sans elle (L). Avec quoi l'ouvrira-t-elle ? »
• L'objet utilisé pour remplacer la clé du trousseau n'a pas d'importance. Ce peut être un tire-bouchon, un ouvre-boîte, un tournevis, un fer à souder… mais surtout pas une épingLe, un décapsuLeur, une fLûte à bec ou un vieux cLou rouiLLé. Pourquoi ? parce que la réponse ne doit pas contenir la lettre L !

Variantes
• « Le chien de la belle-mère de la mariée n'aime pas les os, que lui donnerez-vous ? » Un mot ne comportant pas le son ou la lettre O.
• « Sentez ce bouquet, quelles en sont les fleurs ? »
Sûrement pas des Tulipes, des genTianes, des horTensias, des asTers, des margueriTes, des genêTs, des jacinThes, de la

menThe, du mugueT, des myosoTis, des œilleTs, des pâque-reTTes ou des chrysanThèmes, qui toutes contiennent la lettre T.

• « La tante Anna aime beaucoup tout ce qui est à la pointe des Asperges. Qu'allez-vous lui proposer ? »
Des Abécédaires, des Abeilles, des Ablettes, des Abonnements, des Académiciens, des Alcôves, des Accordéons et même des Amours ! Bref, uniquement des mots commençant par la lettre A.

• « Quant au grand-père Ernest, il aime tout ce qui est au bout de la queue d'un naveT. Qu'allez-vous lui proposer ? »
Un chaT, un raT, un contre-uT, une forêT, un laceT, un buT ou le mois d'aoûT. Tout simplement tout ce qui se finit par la lettre T.

Remarques

• Pour réussir ce jeu, il faut insister sur le sens des mots pour mettre les joueurs sur la piste du sens… alors que la solution se trouve ailleurs.

• Il faut également se débrouiller pour que les joueurs n'expliquent pas le truc quand ils l'ont découvert, mais qu'ils l'essayent pour vérifier leur hypothèse.

Le garçon de café

Un meneur
Un nombre indifférent de convives
Aucun matériel

But

Retenir un maximum de consommations au milieu de la conversation.

Déroulement

• Les invités se rassemblent près du bar, les conversations commencent autour de tout et de rien. Le garçon attend pour enregistrer la commande, c'est lui le plus à l'aise dans son costume et sa cravate quotidienne. Il a l'air flegmatique, mais on perçoit dans le coin de son regard qu'il est en train de ranger chaque invité dans une catégorie pour savoir comment il faudra s'y prendre avec chacun, tout au long de la soirée.

Mais comme, en plus, il a de l'expérience, il est capable d'enregistrer les différentes commandes : « Ah ben tiens, c'est pas tous les jours fête, alors moi je vais prendre... »

• Voilà l'occasion d'un jeu facile à mettre en place pour faire travailler les petites méninges avant qu'elles ne soient un peu trop embrumées : « Je vous propose un petit jeu très simple. On laisse le garçon prendre nos commandes d'apéritifs, sans rien changer. Et dès qu'il est parti préparer tout ça, on essaye de retrouver de mémoire la consommation de chacun et le prénom de la personne qui l'a commandée ! »

• Il sera sans doute compliqué de retenir que Maman a pris une petite Suze avec une rondelle de citron, Papa un double whisky sec, Philippe la même chose mais avec de l'eau de Seltz, Jacotte un pink-gin avec un peu d'angustura, Olivier un Picon bière, Puce un café deux sucres, Nicolas un Cointreau (n'en faut !), Isabelle un gin avec des glaçons, Agnès un panaché « J'ai le droit Maman ? », les jumeaux de la limonade et Nathalie un Coca-Cola.

Variante

• Sur le même principe du jeu de mémoire, on peut essayer de se souvenir de la couleur de la pochette du marié, des coussins sur les bancs de l'église, de l'inscription au-dessus de la salle de mariage, du troisième prénom de la mariée, du lieu de naissance de ses parents... à condition de pouvoir vérifier !

Comment est mon mari ?

Un meneur
Un nombre indifférent de convives
Aucun matériel

But

Poser des questions pour trouver un terme s'appliquant à la fois à une chose ou un animal et à un homme.

Déroulement

• Avec le meneur, quelques joueurs choisissent le nom d'un animal, d'un objet ou d'une matière qu'une autre personne doit découvrir.
• La joueuse, mais pas forcément la mariée, pose la question : « Comment est mon mari ? »
• La réponse doit se rapporter à la fois à l'élément choisi et à un homme.
• « Comment est mon mari ?
— Il est plutôt raide, poli, glacé ; il est habituellement blanc et l'on voit ses veines… »
Il s'agit du marbre !

Exemples

« Il est tout doux, remue souvent la queue et tape du pied ! »
Un lapin !
« Il est brillant, étincelant, riche, je le mène du bout du doigt ; mais il n'en veut pas d'autre ! »
Un solitaire !
« C'est une vraie crème à Rome ou ailleurs, ce qu'on lui confie porte ses fruits ; un habile pratiquant du palais et de la langue. On le reconnaît à sa valise ou à sa cassette. »
Le diplomate habitué des capitales, des confidences, des palais princiers et des langues étrangères, célèbre pour sa valise diplomatique. Mais c'est aussi un gâteau fait de biscuits imbibés d'une crème au rhum, avec des fruits confits, qui fond entre la langue et le palais, et se présente dans une caissette de papier.

Variante

Le meneur annonce la définition à toute la salle et celle qui pense avoir trouvé peut dire : « C'est mon mari ! » et donner la réponse.

Remarques
Le jeu peut s'élargir aux mots à double sens.
• « Il est toujours de bonne humeur et soigne sa ligne »
La pêche.
• « Il ne quitte plus son ordinateur et son jeu de cartes, il aime quand je me gratte ou quand je vais le chercher au marché »
La puce.
• « Il est léger comme l'air, doux et chaleureux, il aime glisser sur le papier pour me laisser sa trace »
La plume.
• « Il est brillant, il aime réfléchir et me rafraîchir »
La glace.
• « Il aime bien la ramener, il ne tremble pas, n'a pas peur de se sucrer et je le retrouve sans plaisir chez le dentiste »
La fraise.

Les mariages

Un meneur
Un nombre indifférent de convives
Aucun matériel

But
Trouver deux mots, masculin et féminin, qui vont bien ensemble.

Déroulement
• Avec le meneur, quelques joueurs choisissent deux noms, l'un masculin l'autre féminin et allant ensemble, comme le chapeau et la tête, la bougie et le chandelier…
• Le joueur, qui doit deviner les deux noms, pose la question : « Que font Monsieur et Madame ? »
• Et les réponses doivent être faites de manière à pouvoir être appliquées aux mots choisis, mais aussi à un homme et une femme.

Exemple
« Que font Monsieur et Madame ?
— Monsieur est sur le chef de Madame, Madame a de l'esprit et Monsieur n'en a pas ! »
Il s'agit bien sûr du chapeau et de la tête.

Variante
Le meneur annonce la définition à toute la salle et celui ou celle qui pense avoir trouvé s'écrie : « Je suis Monsieur » ou « Je suis Madame » et donne la moitié de la réponse, qu'un autre joueur — ou joueuse — devra compléter !

Exemples
« Madame est toute dorée. Il a suffi d'un oui pour que Monsieur la porte »
L'alliance et l'annulaire.
« Madame s'accroche sur sa tête quand Monsieur se pend à ses épaules »
La couronne et le voile de la mariée.
« Monsieur utilise des arguments tranchants quand Madame est plus piquante »
Le couteau et la fourchette.
« Madame lui serre le cou et Monsieur lui serre le ventre »
La cravate et le gilet.
« Madame a du cul (ou du goulot) et Monsieur attend sur un pied »
La bouteille et le verre à pied.
« Madame efface tout et Monsieur a bonne mine »
La gomme et le crayon.

Tipoter

Un meneur et un joueur
Des spectateurs

But du jeu
Découvrir un verbe d'action caché derrière le mot « tipoter ».

Déroulement

• « Passe-moi le truc, là, le schtroumpf... » On raconte que c'est lors d'un repas entre André Franquin, le génial créateur de *Gaston*, et Peyo, l'inventeur des petits lutins bleus au langage codé, que naquit le mot *schtroumpf* pour remplacer un mot qui n'arrivait pas assez vite. Si tout le monde aujourd'hui sait schtroumpfer correctement, surtout quand le schtroumpf persiste à schtroumfer sans son schtroumpf, cela nous rappelle ce jeu où l'on aime bien tipoter !

• Les joueurs choisissent, en l'absence de l'un d'entre eux, un verbe d'action.

• Le joueur absent (il était parti tipoter !) doit alors deviner ce verbe uniquement en posant des questions à ses voisins. Il n'a pour cela que le droit d'utiliser le verbe tipoter.

• La personne interrogée ne doit répondre que par oui ou par non ; mais, si l'action est difficile à trouver, celle-ci peut ajouter un bref commentaire.

Exemple

« Est-ce qu'il arrive à l'oncle André de tipoter ?
— Oui, le matin dès le réveil.
— Est-ce qu'il m'arrive à moi de tipoter ?
— Non, parce que ta femme n'est pas d'accord !
— Est-ce qu'il faut être marié pour tipoter ?
— Normalement non.
— Est-ce que j'ai besoin de quelque chose pour tipoter ?
— Oui.
— Est-ce que j'ai besoin de ma main pour tipoter ?
— Oui.
— Est-ce que je peux parler et tipoter en même temps ?
— Oui.
— Est-ce que l'oncle André a déjà tipoté depuis qu'il est arrivé ici ?
— Non, ou alors tout seul dans les toilettes !
— Est-ce qu'il y a des endroits où il est interdit de tipoter ?
— Oui.

— J'ai trouvé, c'est fumer !
— Bravo, tu as gagné. »

Remarque
Présentez le jeu en parlant schtroumpf. Une fois que vous avez vérifié que tout le monde a du mal à prononcer et conjuguer ce mot allemand, qui signifie chaussette, proposez un autre mot bien plus ancien. En racontant que celui-là vient de l'anglais *tea pot* : le pot à thé ! « Allez, qui veut essayer de tipoter ? »

Ma grand-mère m'a offert…

Un meneur et les invités
Aucun matériel

But du jeu
Trouver le truc que cache une phrase et se présenter.

Déroulement
• Le meneur commence : « Je m'appelle Pierre, et pour mon mariage, ma grand-mère m'a offert… une pendule ! »
• Puis, il fait le tour des invités : « Et vous, comment vous appelez-vous ? Et qu'est-ce que votre grand-mère vous a offert pour votre mariage ? »
• Il n'hésitera pas à bien faire répéter le prénom pour que tout le monde l'entende bien, quitte à insister sur l'initiale.
• Les joueurs doivent faire des essais, s'ils ont compris le truc, sans le révéler !

Exemples
À la fin du jeu on saura peut-être que…
Anne a reçu un abricot, Brigitte une bouillotte, Caroline une cacahuète, Dominique un dinosaure, Édouard un électrophone, Farid un fer à repasser, Gaston un galet, Henri un harmonium, Isidore un interrupteur, Jean une jeannette, Karim un koala, Luc un loukoum, Martin un martinet, Nicole un navire, Oscar un ours en peluche, Patrice un

paratonnerre, Quentin une queue-de-pie, Roger des rutabagas, Séraphine un solex, Thomas des tomates, Ursule des usines, Vincent des violettes, Xavier du xérès, Zoé un zoo et de drôles de zozos !

Remarques

• On comprend bien que ceux qui répondent peuvent s'amuser à entraîner les autres joueurs vers d'autres pistes, n'est-ce pas Thomas, Jean et Martin ? On aurait pu croire que les mots devaient se faire écho, alors que seule l'initiale compte.

• Tout est question de présentation et ce jeu, très simple à la lecture, peut se révéler beaucoup plus compliqué qu'il n'y paraît. Surtout lorsque le petit Nicolas proposera un néléfan ou un navion !

Jeux de chats

Un meneur et les invités
Aucun matériel

But du jeu

Un joueur, le chat, doit attraper les autres joueurs, les souris.

Remarque

• Entre la cérémonie et les réjouissances de fin d'après-midi, le temps peut paraître long. Il y a souvent un déplacement d'un point à l'autre avec un circuit en voiture. Puis il faut quelquefois attendre sur le parking que les dernières voitures arrivent ou que la salle se libère. Difficile de proposer alors des jeux très compliqués en attendant que l'oncle François arrive avec la mère du marié. (De toutes les manières, ils seront là deux heures après tout le monde, et leurs exploits entre panneaux indicateurs à l'envers, bouchon sur le périph' et engueulades dans la voiture nourriront les conversations des deux familles sur plusieurs générations !) C'est donc bien le moment de lancer « spontanément » quelques jeux de chats !

Déroulement

• « Attrape-moi, si tu peux ! » Quel plaisir de se courir après en essayant de se toucher, surtout quand se rajoute un petit handicap permettant d'introduire un peu de stratégie dans la course !

• Au départ, le meneur joue le rôle du chat. Il va donc tenter d'attraper, en la touchant, une souris, qui deviendra alors chat. Mais « on n'a pas le droit de toucher son père », c'est-à-dire le joueur par lequel on vient d'être touché.

Variantes

• Chat perché :
Le chat ne peut toucher les joueurs perchés (sur un arbre, de l'herbe, du goudron, une couleur…). Le perchoir est annoncé par le chat : « Chat perché sur… » On veillera à ce que les dames ne risquent pas d'y laisser un talon et les hommes le fond de leur pantalon ! Si toutes les souris sont effectivement perchées sur le bon élément, le chat peut annoncer : « La maison brûle ! » Les souris ont alors quelques secondes pour changer de perchoir.

• Chat sorcier :
Le chat pétrifie les souris qu'il touche… et reste donc le chat. Mais ces souris peuvent revenir à la mobilité si une autre souris les touche.

• Chat malade :
Lorsque le chat touche une souris, elle devient immédiatement chat sans lui faire perdre son pouvoir. On aura donc très vite plusieurs chats, mais avec un handicap : la souris devenue chat doit toucher en permanence la partie que le chat vient de « blesser », mais restons cependant révérencieux !

• Chat coupé :
Voici une variante qui permettra que la partie dure plus longtemps, et que les joueurs soient solidaires. Dans ce cas, on

compte les points et le chat reste chat sur une durée déterminée, ou sur un quota de souris à attraper.

Quatre coins

Cinq joueurs
Aucun matériel

But du jeu
Prendre la place d'un joueur qui occupe un coin.

Déroulement
• Encore un petit jeu de récréation que la plupart des adultes seront tout contents de refaire ! Mieux vaut de courtes distances entre les coins.
• Quatre joueurs se placent à distance en formant un carré. Le cinquième joueur se place au centre. Il s'agit de prendre la place d'un des autres joueurs pendant qu'ils échangent leur place.

Variante
Si l'on est plus de 5 à vouloir participer, on fait un cercle. On peut alors convenir qu'un homme doit forcément échanger sa place avec une femme, et mettre deux joueurs, homme et femme, au centre.

Remarques
On peut aussi y jouer à l'intérieur, 4 chaises suffiront pour déterminer l'espace et reprendre son souffle. Et puis là, c'est plus facile d'enlever ses chaussures pour courir !

Devinettes de mariage

• C'est fou comme il peut être utile d'avoir des devinettes sous la main ! Cela peut servir pour relancer la conversation autour d'un verre, ou quand la fatigue se fait sentir après les mets un peu trop riches ou les verres trop remplis. C'est, a

priori, le sujet qui ne fâche pas, même si on a décidé de ne parler ni de politique, ni de religion, ni d'argent.
• L'idéal est de prendre le temps d'écrire les questions numérotées au recto et les réponses numérotées correspondantes au verso (à condition de ne pas les numéroter dans le même ordre pour ne pas lire la réponse de la question suivante avant d'en avoir lu l'énoncé).
• Un autre truc consiste à préparer une question et une réponse par petits carrés de papier. En les glissant dans ses différentes poches, on ne sera jamais à court d'une question et de sa réponse.

1. Quelle ressemblance y a-t-il entre un jeune marié et un brasseur de bière ?
Il embrasse (en brasse) tout le temps !

2. Quelle différence y a-t-il entre une femme bavarde et un miroir ?
La femme parle sans réfléchir et le miroir réfléchit sans parler.

3. Quelle différence y a-t-il entre un homme grossier et un miroir ?
Le miroir est poli et l'homme grossier ne l'est pas.

4. Quelle différence y a-t-il entre une femme d'esprit et une pendule ?
La femme d'esprit fait oublier l'heure quand la pendule y fait penser.

5. La mère de Jean (ou du prénom du marié) a trois fils : Pif, Paf et ?
Jean (ou le prénom du marié) bien sûr, et non pas Pouf, comme répondront la plupart des personnes !

6. Qu'est-ce que l'Amour ?
— Un fleuve de l'Extrême-Orient long de 4 354 km, formé

par la réunion de la Chilka et de l'Argun. L'Amour sert de frontière entre la Sibérie et la Mandchourie.
— Un massif montagneux de l'Algérie méridionale, partie de l'Atlas saharien.

7. Qu'appelle-t-on une pomme d'amour ?
— C'est un autre nom pour désigner la tomate.
— C'est une pomme crue plantée sur un bâtonnet et trempée dans un caramel rouge.

8. Qu'appelle-t-on l'amour en cage ?
Une plante de couleur rouge-orangé de la taille d'une cerise, au goût sucré et légèrement épicé, que l'on découvre au cœur d'une plante beige qui ressemble au pavot et porte le nom scientifique de Physalis.

9. Qu'appelle-t-on une amourette ?
C'est un autre nom pour désigner le muguet.

10. Qu'appelle-t-on des amourettes ?
Des morceaux de moelle épinière de veau, de bœuf ou de mouton que l'on servait comme garniture. On donnait également ce nom aux testicules de ces animaux, que l'on appelle aussi des rognons blancs ou les ris de veau du pauvre.

11. Qu'appelle-t-on bois d'amourette ?
Un bois d'acacia utilisé en marqueterie.

12. Comment s'appelait le dieu de l'Amour chez les Romains ?
Cupidon, nommé Éros chez les Grecs ; il était le fils de Vénus, déesse de la beauté (Aphrodite chez les Grecs).

13. Pourquoi peut-on résumer l'amour de toute une vie à trois lettres : M, M et S ?
Parce que, au début, c'est Matin, Midi et Soir.

Ensuite Mardi, Mercredi et Samedi.
Puis Mars, Mai et Septembre.
Et à la fin : Mes Meilleurs Souvenirs !

14. Nous savons que les fleurs ont un langage, plus précisément dans le domaine de l'amour. Qui saura retrouver la correspondance de chacune ?

Aster	Amour confiant
Fuchsia	Ardeur du cœur
Glaïeul	Rendez-vous
Glycine	Tendresse
Iris	Cœur tendre
Jacinthe	Joie du cœur
Jasmin	Amour volupté
Lavande	Tendresse respectueuse
Muguet	Coquetterie
Myosotis	Souvenir fidèle
Primevère	Premier amour
Rose	Amour passion
Violette	Amour caché, discret, humble
Véronique	Fidélité

Charades de mariages

Il faut quelquefois donner sa langue à mon premier,
se retrouver coincé comme mon deuxième
et chercher un compagnon pour être à mon troisième.
Et mon tout est bien ce jeu d'esprit et de ribambelle de sons.
Charade (chat-rat-deux)

Mon premier a de l'esprit
Mon deuxième est un début d'ouragan
Et mon tout sème à tous vents
L'amour (âme-our)

Mon premier est une particule nobiliaire et non élémentaire
Mon deuxième est qui je suis
Mon troisième est un empressement excessif
Et mon tout n'a pas d'époux
Une demoiselle (de-moi-zèle)

Mon premier est le premier temps de la java
Quand on parle de mon second, on voit sa queue
Et mon tout est très attaché
Jaloux (ja-loup)

Mon premier se boit dans une tasse
Mon second indique la soustraction
Et mon tout était doublement indispensable pour la cérémonie
Témoin (thé-moins)

Mon premier n'en fait jamais
Mon deuxième m'y enfermerait
Mon troisième le fait dans un éclat
Et mon tout est une flatterie intéressée
Une cajolerie (cas-geôle-rit)

Mon premier suit l'abbé
Mon deuxième est dans la chambre
Mon troisième frappe
Mon quatrième est sous nos pieds
Et mon tout n'est pas marié
Célibataire (C-lit-bat-terre)

Mon premier précède la séquence
Mon deuxième se répète au pays du curé de Cucugnan
Mon troisième jacasse
L'homme possède cinq de mon quatrième
Et mon tout est un penchant marqué pour le plaisir
La concupiscence (con-cu-pie-sens)

Mon premier est doté de pouvoirs surnaturels
Cette mode permet à mon deuxième d'en montrer beaucoup
Mon troisième se boit dans une tasse
Et mon tout est bien agréable aux hommes
La féminité (fée-mini-thé)

Mon premier est un époux
Mon second n'est pas ripoux
Sans fil, mon tout ne tiendrait pas debout
La marionnette (mari-honnête)

Première version :
Mon premier parle trop
Mon deuxième a deux ailes
Mon troisième peut être ganache
Et mon tout est un délicieux gâteau
La bavaroise au chocolat (bavard-oiseau-chocolat)

Deuxième version :
Mon premier est un bavard
Mon deuxième est un oiseau
Mon troisième est du chocolat
Et mon tout est un délicieux gâteau
La bavaroise au chocolat (bavard-oiseau-chocolat)

Mon premier est le mariage de la musique et des mots
Mon second me prend par la taille
Et mon tout est pétillant
Le champagne (chant-pagne)

Mon premier est ce qu'un homme galant fait à une femme
Mon second est ce qu'une femme hésite à dire à un homme
Sans mon tout un homme ne serait pas un homme
Deux réponses possibles :
Le courage (cour-âge)
La vertu (vers-tu)

Charades mimées

Entre trois et dix joueurs
Aucun matériel

But du jeu
Faire deviner la réponse à une charade en mimant.

Déroulement
• Il est prudent de commencer par des charades faciles puisqu'il va falloir mimer chaque syllabe.
• Le joueur se place devant les autres invités et commence par faire le geste premier avec la main. Puis il mime la syllabe.
• Et ainsi de suite jusqu'à mon tout que l'on peut énoncer clairement.

Exemples
Quelques mots faciles à transformer en charades mimées :
• Café-eau-lait.
• Bas-lent-soir.
• Or-ange.
• Fesse-teint.
• Car-nez.
• Pain-eau-chaud-col-a.
• As-pirate-heure.
• Pas-rat-sol.
• Scie-reine.

Remarque
Il est possible également de jouer avec les prénoms ou les noms de famille des mariés.

Parler d'amour

• Nombreuses sont les citations sur l'amour ; en voici un florilège que l'on pourra utiliser sous forme de questions-réponses : « Qui a dit ? ».

• Mais pourquoi pas sous la forme de phrases joliment manuscrites que l'on glissera dans l'enveloppe de chaque invité ou au dos des menus ?
• Il n'est pas question de proposer un contrôle de connaissances indigeste mais plutôt de picorer çà et là les quelques formules de votre choix.

« Il n'y a pas de remède de bonne femme contre les mauvaises »
Jules Renard

« Les femmes sont faites pour être mariées et les hommes célibataires. De là vient tout le mal »
Sacha Guitry

« Le mariage simplifie la vie et complique la journée »
Jean Rostand

« La réponse est "oui", mais quelle était la question ? »
Woody Allen

« Que diable allait-il faire dans cette galère ? »
Molière, *Les fourberies de Scapin*

« Le cœur a ses raisons que la raison ne connaît point »
Blaise Pascal

« Car le jeune homme est beau, mais le vieillard est grand »
Victor Hugo

« Et qui n'est chaque fois, ni tout à fait la même, ni tout à fait une autre, et m'aime et me comprend »
Paul Verlaine

« Plus le désir s'accroît, plus l'effet se recule »
Corneille

« Ce qu'il y a d'ennuyeux dans l'amour, c'est que c'est un crime où l'on ne peut se passer d'un complice »
Charles Baudelaire

« Amour ? Le coq se montre, l'aigle se cache »
Victor Hugo

« L'amour consiste à être bête ensemble »
Paul Valéry

« Si l'amour donne de l'esprit aux sots, il rend parfois bien sots les gens d'esprit »
Ninon de Lenclos

« Le plus beau moment de l'amour, c'est quand on monte l'escalier »
Georges Clemenceau

« Aimer, c'est trouver sa richesse hors de soi »
Alain

« Le bonheur à deux ? Ça dure le temps de compter jusqu'à trois »
Sacha Guitry

« Les chaînes du mariage sont si lourdes qu'il faut être à deux pour les porter. Quelquefois trois ! »
Alexandre Dumas fils

« Il vaut mieux être à plusieurs sur une bonne affaire que seul sur une mauvaise »
Tristan Bernard

« Un seul être vous manque et tout est dépeuplé.
Moralité : concentrique »
Boris Vian

« En tant qu'individu, la femme est un être chétif et défectueux »
Saint Thomas d'Aquin

« Oh ! l'amour d'une mère ! amour que nul n'oublie »
Victor Hugo

« Que faut-il donc aimer quelqu'un pour le préférer en son absence ! »
Jean Rostand

L'invité surprise

• Encore un jeu de questions et d'astuces que l'on pourra préparer à l'avance et utiliser de différentes façons au cours de la soirée.

Déroulement
• Le principe est simple, il consiste à trouver pour chaque série, soit le point qui les rassemble, soit l'intrus.

Questions
1. Exclamation, suspension et interrogation.
2. Clemenceau, diesel et Nigeria.
3. Moule, voile et poêle.
4. Tyran, dictateur et massacreur.
5. Menotte, assistant et frais.
6. Déjeuner, baiser et sourire.
7. Recrue, sentinelle et vigie.
8. Censeur, bourreau et escroc.
9. Manœuvre, tour et vase.
10. Cireurs, sucrier et crieurs.
11. Bouteille, lampe et sac.
12. Bravo, Hôtel et Zoulou.
13. Cigare, sieste et torero.
14. Avant-coureur, benêt et snob.
15. Griotte, isabelle et souris.
16. Charles, David, César.

17. Blockhaus, blocus et potasse.
18. Amazone, nourrice et repasseuse.
19. Edelweiss, besicles et revolver.
20. Plomb, tronc et nerf.
21. Enceinte, crasse et cochère.
22. Bivouac, choucroute et sabre.
23. Coquille, caractère et capitale.
24. Magnum, jéroboam et mathusalem.
25. Sandwich, barman et whisky.

Réponses

1. Ils qualifient différents points.
2. Ces trois mots s'écrivent sans accents, mais le son « é » se prononce.
3. Ils changent de sens selon qu'ils sont au masculin ou au féminin.
4. Ces trois mots masculins n'ont pas d'équivalents féminins !
5. Ils changent de sens selon qu'ils sont au singulier ou au pluriel. Une menotte est une petite main et des menottes, des bracelets de fer pour les prisonniers ; un assistant est un aide et des assistants des personnes présentes ; le frais est agréable à prendre quand il fait chaud et les frais désagréables à régler.
6. Ce sont trois verbes à l'infinitif que l'on peut employer comme noms.
7. Ils ne peuvent s'appliquer qu'à des hommes mais sont de genre féminin.
8. Ils n'ont pas d'équivalent au féminin !
9. Ils changent de sens selon qu'ils sont au masculin ou au féminin.
10. Ils se composent tous les trois des mêmes lettres.
11. Ils se composent tous les trois avec le terme cul-de-
12. Ils font tous les trois partie du code radio utilisé par les pilotes d'avions. « Allô, Papa Tango Charlie… » chantait Mort Schuman.

13. Ils sont tous les trois d'origine espagnole.
14. Ces trois adjectifs n'ont pas de féminin !
15. Ils désignent tous les trois la couleur de la robe d'un cheval.
16. Ce sont les prénoms de trois des rois d'un jeu de cartes, le quatrième s'appelant Alexandre.
17. Ils sont d'origine allemande, tous les trois.
18. Ils n'ont pas d'équivalent au masculin !
19. Ces trois mots s'écrivent sans accents, mais le son « é » se prononce.
20. La lettre finale ne se prononce pas.
21. Ces adjectifs n'ont pas de masculin !
22. Ils sont d'origine allemande, eux aussi !
23. Chacun a plusieurs sens, dont un en rapport avec l'imprimerie : une coquille est une erreur de composition (écrire COqUILLE sans q en est vraiment une !), un caractère est une lettre, et une capitale est une lettre majuscule.
24. Ils désignent tous les trois des bouteilles de champagne par leur contenance. Le magnum : 1,5 l ; le jéroboam : 3 l ; et le mathusalem : 6 l. La plus grande est le nabuchodonosor : 15 litres !
25. Ces trois noms sont d'origine anglaise.

Assis autour des tables

Que l'on ait choisi la solution du buffet ou du repas assis, les invités vont se regrouper plus ou moins par affinités autour des tables. Il arrive aussi que les places soient désignées par les mariés. Malgré tous les soins qui auront été pris, il y aura toujours le cas de la personne qui se sent un peu isolée, entourée de personnes qu'elle ne connaît pas. Les petits jeux que nous vous proposons permettront aux différents convives de partager des moments fort agréables.

Et tous ces jeux s'adaptent facilement autant à la forme de la table qu'au nombre d'invités assis et aux différences d'âge. Dans la plupart des cas, il est préférable de commencer à une table dynamique qui donnera rapidement aux autres l'envie d'en faire autant.

Je me présente

Un meneur
Un nombre indifférent de convives réunis autour d'une table ou assis dans un salon
Aucun matériel

But

Permettre aux personnes de faire connaissance en les faisant changer de place.

Déroulement

• « Et vous, vous êtes de quel côté ?
— Oh moi, je suis un vieux copain du père de la mariée. Quand je pense que je l'ai tenue sur mes genoux, cette petite ! À propos, mon nom, c'est Georges. Et vous ? »
La conversation vient de commencer entre ces deux-là, mais en face d'eux, la tante Mélina commence à s'ennuyer et se dit qu'elle aurait mieux fait de se mettre à une table où elle connaissait déjà du monde. Vous tombez à pic pour proposer un petit jeu qui va permettre de mélanger les deux familles et les copains.
• Vous avez pris soin de demander auparavant le prénom de chacune des personnes présentes, au besoin avec l'aide de l'un des mariés. Et si l'un des prénoms vous échappe, vous aurez l'habileté de le faire innocemment prononcer par la personne : « Emma, pourrais-tu nous donner le prénom de ton voisin ?
— Euh !
— C'est Laurent (ajoute le voisin, et ce n'est pas vous qui le lui avez demandé !). »
• Puisque vous savez maintenant qu'il s'appelle Laurent, et que vous avez repéré que Georges lui fait face, vous pouvez dire : « Tous les Laurent, les Georges, les Benjamin, les Catherine et les Mathilda changent de place. » Et continuez ainsi avec d'autres prénoms en allant très vite et en mélangeant avec d'autres prénoms qui ne correspondent pas à ceux des personnes présentes.

Variantes

• « Tous ceux qui sont de la famille de la mariée changent de place ! » ou « Tous ceux qui ont déjà vu le marié en maillot de bain changent de place ».
• Mais aussi : « Tous ceux qui portent du jaune sur eux » ou « Tous ceux qui sont nés dans la région parisienne ». Le principe est de faire bouger pour décoincer un peu tout le monde.

Remarques

• Il peut être amusant de connaître une caractéristique propre aux différents membres d'une même famille : « Tous ceux qui sont des profs... », « Tous ceux qui font partie d'une chorale... ». Cela sera sans doute le point de départ d'une conversation. « Ah bon, et vous chantez quoi dans votre chorale ? Vous connaissez *L'Hymne à l'amour* ? »
• Ce petit jeu doit être mené très rapidement et avec beaucoup d'enthousiasme. Et hop, on passe tout de suite à autre chose : « Maintenant que tout le monde est bien installé, je vous propose d'écouter Georges qui a préparé un petit texte pour les mariés. »

Je m'appelle

Un meneur
Un nombre indifférent de convives
Aucun matériel

But

Favoriser la communication entre les invités.

Déroulement

Rien n'est pire que d'être assis tout un repas à côté de quelqu'un qui passe la soirée à discuter uniquement avec la personne qui se trouve de l'autre côté. Alors, pour éviter à la mariée de dire : « Vous ne restez pas pour la pièce montée ?
— Oh non, Christian a du travail et les petits sont fatigués

(tu parles, Matthieu et Clément-Maxime font la foire dans la salle d'à côté !). Tu embrasseras bien tout le monde pour nous... », c'est bien au début du repas qu'il faut favoriser la communication entre les différentes personnes. Et ce petit jeu va le permettre.
• « Je m'appelle Christian », dit le premier joueur. Il désigne un autre joueur : « Je m'appelle Lisa, et voici Christian. » Et le tour continue d'un invité à l'autre, jusqu'à ce que tous les joueurs puissent donner le prénom des convives qui partagent leur table.

Remarques
• Bien sûr, les personnes qui se connaissent déjà entre elles doivent jouer le jeu, en imaginant qu'elles voient chacun des convives pour la première fois.
• Celui qui joue le rôle de meneur présente ce jeu table par table. Il se glisse entre deux chaises en se mettant accroupi et lance directement le jeu : « Je m'appelle Denis, et voici... »
• C'est inutile de lancer un jeu par : « On va faire un jeu ! », surtout quand celui-ci ne demande pas l'attention soutenue des participants. Il est très agréable de lancer discrètement un petit jeu à un petit groupe et de le voir se propager d'un invité à l'autre durant la soirée.

Montrer du doigt

Un meneur
Un nombre indifférent de convives
Aucun matériel

But
Faire connaissance.

Déroulement
• « On ne montre pas les gens du doigt, ce n'est pas poli ! » risque de nous dire Grand-mère, si on ne lui explique pas

que c'est l'occasion d'un nouveau jeu pour se présenter. Tiens, on va justement commencer par Grand-mère !
• Les invités reculent un peu leurs chaises s'ils sont autour d'une table, de manière à ne pas se gêner.
• Grand-mère pointe son doigt vers un autre invité en le nommant : « Celui-là, je le connais bien, c'est mon grand Julien ! » Julien fait alors de même fait vers un autre invité : Peggy.
• « Grand-mère, Julien et Peggy ont bien compris, on va pouvoir compliquer un peu. Peggy, si tu pointes avec le bras droit, par exemple vers Jean-Michel, Jean-Michel doit choisir quelqu'un qui se trouve à sa droite, si c'est avec la main gauche, vers Clara par exemple, Clara devra choisir un joueur à sa gauche. Pourquoi pas Marek ? »

Remarque
Il est toujours plus facile d'expliquer un jeu en le faisant étape par étape. Et lorsque l'on commence à aller assez vite, il est facile de se tromper entre la droite de celui qui vous pointe et sa propre droite. Et celui qui se trompe n'est pas toujours le seul à se mettre le doigt dans l'œil !

Citron, citron, citron

Un meneur
Un nombre indifférent de convives
Aucun matériel

But
Faire connaissance.

Déroulement
• C'est un nouveau jeu d'attention qui tourne très vite au fou rire, et qui nécessite de bonnes explications au départ pour éviter que les perdants ne tiennent vite des propos acides.
• Il est plus facile d'y jouer si le meneur voit bien tous les joueurs de sa place, ou encore mieux s'il peut se mettre au

centre du cercle formé par les joueurs. Non ! pas debout sur la table !

• Le meneur doit connaître le prénom de chaque participant. « Si, si, Papy, vous jouez avec nous, comme tout le monde ! »

• Le meneur désigne un joueur en lui disant plus ou moins vite « Droite (ou gauche) citron, citron, citron ». Avant qu'il n'ait fini l'énoncé de cette formulation, le joueur désigné doit dire à voix haute le prénom de son voisin de droite (ou de gauche suivant la demande).

• Celui qui se trompe, bafouille ou ne dit rien recule sa chaise. Il regarde le jeu, mais n'y participe plus.

• Ce qui fait un vide dans le cercle. Le voisinage des joueurs n'est donc plus le même.

Remarques

• Les joueurs éliminés peuvent aider le meneur à prononcer les trois citrons. De cette manière ils ne seront pas complètement hors jeu. « Pour une fois que Papy participait à un jeu ! »

• On peut aussi utiliser les gages pour les super perdants (voir page 213 à 216).

Tip, tap, top

Un meneur
Un nombre indifférent de convives
Aucun matériel

But

Répéter un signe et un son correspondant sans se tromper.

Déroulement

• Après les vol-au-vent aux ris de veau et avant le saumon dans son jus, le temps commence à être long. Tant mieux, tout le monde a les mains disponibles, cela suffit pour ce jeu d'un drôle de type qui tape sur une taupe !

• Au départ, c'est simple : quand le meneur dit « TIP », on pose la main à plat sur la tête. On fait un tour pour rien juste pour essayer.
• « TIP », c'est la main sur la tête, et maintenant on rajoute « TAP », avec la main sous le menton. On refait un tour pour tout le monde : « TAP », « TIP ».
• « Bon, moi Geneviève, je commence toute seule. TIP : je pose la main sur la tête. Seulement moi, pas toi Quentin ; maintenant je dis TAP, je mets bien la main sous le menton. Et c'est là que ça se complique un peu : ma main indique la droite, vers toi Quentin. À ton tour tu fais passer et tu as le droit de changer de sens. »
• « C'est toujours ta main qui indique le sens, Jean-Baptiste, c'est à nouveau à moi. Alors, je peux rajouter un nouveau signe : TOP. »
• « A TOP on pose la main à plat devant soi en direction d'un joueur de l'autre côté de la table. Allez, on y va ! »

Remarques
• Comme toutes les règles écrites, tout paraît très vite compliqué ; sauf si l'on exécute immédiatement ce que l'on est en train de lire. TIP sur la tête, TAP sous le menton et j'indique la direction vers la droite ou vers la gauche, TOP sur la table et je pointe un des voisins d'en face.
• Rappelons qu'il est indispensable de tester un jeu avant de le proposer. Pourquoi pas lors d'une pause-café avec les collègues de bureau ?
• Enfin, un dernier conseil : le jeu commence lentement jusqu'à ce que les gestes et les sons soient bien intégrés. Puis on accélère !

Chacun son pot

Un meneur
Un nombre indifférent de convives
Aucun matériel

But

Répéter un signe et un son correspondant sans se tromper.

Déroulement

• Le jeu doit être mené avec beaucoup d'allant pour être réussi ; chacun doit bien voir le meneur de sa place.
• Chaque invité a un « petit pot de confiture » qu'il représente à l'aide de la main gauche entrouverte, paume vers le haut, comme s'il tenait véritablement un pot dans la main.
• L'index de sa main droite va faire office de petite cuillère pour goûter la confiture.
• Quand le meneur indique « Chacun son pot », chaque joueur fait mine de goûter un peu de la confiture que contient son pot.
• Quand le meneur indique « Pot commun », on considère qu'une gigantesque bassine est au centre et que chaque joueur va y plonger l'index avant de le porter à la bouche.
• Quand le meneur indique « Pot du voisin », chaque joueur plonge son index dans le pot de son voisin de droite ou de gauche.
• Quand les trois situations sont bien assimilées, le meneur fait exprès de réaliser une action différente de celle qu'il énonce.

Remarques

• C'est un jeu très facile qui a l'intérêt d'être pratiqué par des joueurs de tout âge. Les plus jeunes prendront grand plaisir à le mener.
• Il se trouvera toujours quelques personnes pour faire remarquer que ce geste introductif peut avoir des connotations plus osées. Pourquoi pas ? On pourra toujours leur dire qu'on retrouve ce jeu dans un recueil édifiant de *400 Jeux pour jeunes filles*, datant du début du siècle dernier. Ce recueil à destination de collectivités exclusivement féminines ne propose que « des jeux d'où les difficultés, les mêlées, les mouvements brutaux et rudes sont éliminés, en un mot des jeux bien féminins ». Dernière précision : dans

ce recueil les gestes sont les mêmes, mais on parle de *Trou du lapin* !

Aimes-tu tes voisins ?

Un meneur
Un nombre indifférent de convives assis
Aucun matériel

But
Changer de place.

Déroulement
• Le repas tire à sa fin, quelques-uns sont déjà sur la piste de danse, et pas forcément les plus jeunes. Et puis il y a d'autres tables où personne ne va oser bouger, sauf si un petit jeu vient les y obliger.
• Tous les joueurs sont assis, il ne reste aucune chaise de libre. Le meneur va s'adresser à un des joueurs assis et lui poser la question : « Aimes-tu tes voisins ? »
• Le joueur interrogé répond par oui ou par… non.
• Si c'est oui, le meneur s'adresse à un autre joueur assis et lui repose la même question : « Aimes-tu tes voisins ? » S'il répond non, le meneur pose la deuxième question : « Alors, qui préfères-tu ? »
• La réponse doit être claire et rapide et désigner deux autres personnes : « Je préfère Laureline et Olivier. »
• Laureline et Olivier doivent se lever et viennent prendre la place de Vincent et Mireille qui sont de part et d'autre du joueur qui vient de faire son choix. Laureline et Olivier doivent prendre chacun l'une des places libérées à moins que le meneur n'ait été plus rapide.
• Vincent n'a pas été assez rapide, c'est lui qui s'y colle et le jeu continue.

Variantes

- Une fois que le jeu est bien compris, on peut donner la possibilité à plusieurs personnes de changer de place : « Je préfère tous ceux qui portent des lunettes », « Je préfère tous ceux qui ont desserré leur cravate »... et cela risque de provoquer quelques bousculades sympathiques.
- Le joueur qui est debout doit avoir la même caractéristique que celle qu'il énonce pour pouvoir s'asseoir à la place des voisins.

Assis, debout

Un meneur
Un nombre indifférent de convives assis
Aucun matériel

But

Changer de place.

Déroulement

Un autre jeu pour faire bouger ceux qui commencent à s'endormir sur leur siège.

- Autour du meneur, deux ou trois joueurs partent en quête d'un quidam seul dans son coin entouré de chaises vides.
- L'air innocent, les trois complices viennent s'installer de part et d'autre de la « victime », le dernier se saisit d'une chaise et se tient à quelques mètres des autres joueurs.
- Le jeu peut alors commencer très rapidement, avec beaucoup d'énergie.
- Le meneur dit « assis » et s'assoit, puis « debout » et se met effectivement debout. Ceux qui lui font face doivent en faire autant. Puis, peu à peu, le meneur fait exprès de réaliser une action différente de celle qu'il énonce.
- Les autres joueurs rouspètent, tempêtent, prennent la place du meneur... et la « victime » est bien réveillée, donc prête à se joindre à la fine équipe pour renouveler le jeu avec un nouvel endormi.

Ote-toi de là que je m'y mette

Un meneur
Un nombre indifférent de convives assis
Aucun matériel

But

Prendre la place d'une personne en justifiant d'une différence.

Déroulement

• La mariée vient de vous glisser discrètement dans l'oreille : « J'ai besoin de Claude pour préparer un petit tour discret, tu n'aurais pas un jeu pour qu'ils décollent de leurs chaises, sans que les autres devinent pourquoi ? » Ça tombe bien, vous alliez justement proposer le « Ote-toi de là, que je m'y mette ! »

• Tous les joueurs sont assis, il ne reste aucune chaise de libre. Vous vous adressez à un des joueurs assis en lui disant : « Ote-toi de là, que je m'y mette ! »

• Le joueur interrogé doit répondre par : « Et pourquoi donc ? »

• À vous de trouver rapidement une réponse qui indique un élément visible que vous possédez et pas lui !

• Par exemple : « Parce que j'ai des moustaches et que tu n'en as pas ! » ou « Parce que ta chemise est rouge et que la mienne est blanche », « Parce que je ne sais pas danser le rock aussi bien que toi ! ».

• Si vous avez trouvé l'élément qui vous différencie, vous prenez la place de celui que vous interrogez.

Remarques

• Attention, ce jeu doit être mené avec humour et sans aucune agressivité.

• Il peut être lancé avec des complices, avec lesquels on aura pris soin de préparer des réponses sans exclusive. Histoire de bien donner le ton. Et puis, comme tous les jeux, il faut savoir l'arrêter quand il commence à bien marcher. C'est le meilleur moyen pour que les joueurs restent sur l'envie d'y jouer à un autre moment.

Le portrait

Un meneur
Un nombre indifférent de convives assis
Aucun matériel

But
Deviner, à l'aide de questions, le personnage choisi par le meneur.

Déroulement
• Puisque les mariés ont permis à différentes personnes de se rassembler, il paraît opportun de s'amuser à tirer leurs portraits à plusieurs. Les réponses seront souvent assez différentes, selon qu'on les pose à un ami, un conjoint, un copain de travail ou à ses frères et sœurs.
• Le meneur commence par quelqu'un de célèbre et extérieur au groupe, pour que le jeu soit bien compris.
• À tour de rôle chaque joueur lui pose une question à laquelle il ne peut répondre que par oui ou par non.
• Les questions doivent permettre de cerner le personnage par ses différentes caractéristiques.
« Est-ce que c'est un homme ?
— Est-ce que c'est un homme vivant ?
— Est-ce que c'est quelqu'un que l'on voit au cinéma ?
— Est-ce que c'est un homme plus jeune que moi ?
— Est-ce que c'est un acteur français ?

Remarques
Tout le monde ne peut pas tout connaître, que ce soit dans le domaine du jazz, du cyclisme ou des vols dans l'espace. Pourquoi ne pas choisir Armstrong ? À condition de se rappeler que le trompettiste et chanteur se prénomme Louis, l'astronaute Neil et le coureur cycliste Lance. Mais ces per-

sonnages, lorsque l'on doit les trouver uniquement par oui ou par non, sont souvent très difficiles à cerner. Pourtant, quelquefois, le jeu en vaut la chandelle, et tout le monde sera étonné de constater que c'est Grand-mère qui a trouvé le nom de Björk, et le prêtre qui a béni les mariés celui de Lolo Ferrari !

Portrait chinois

Un meneur
Un nombre indifférent de joueurs
Aucun matériel

But
Deviner, à l'aide de questions, le personnage choisi par le meneur.

Déroulement
• Encore un jeu de portrait qui permettra de mieux cerner le caractère d'un personnage ou de l'image qu'il donne.
• Dans ce jeu, il s'agit de définir la personne choisie en répondant à plusieurs questions fonctionnant par analogie : « Si c'était un… ce serait un… »

Exemples
• Si c'était une époque ?
— La Seconde Guerre mondiale.
Si c'était une fleur ?
— Un bouquet d'anémones bleues, blanches et rouges.
Si c'était un arbre ?
— Un chêne.
Si c'était un métier ?
— Président !
Si c'était un animal ?
— Un éléphant.
Si c'était le titre d'une chanson ?
— Le « Général à vendre » par Francis Blanche.

Si c'était le titre d'un film ?
— *Le chacal.*
Les plus futés auront trouvé qu'il s'agit du général de Gaulle, même si tout le monde ne sait pas que *Le chacal* est un film américain évoquant une tentative d'assassinat de celui qui fut président de la République de 1954 à 1969.
• Si c'était une époque ?
— Quand Grand-mère était une jeune fille !
Si c'était une fleur ?
— Une fleur du pavé.
Si c'était un arbre ?
— Un arbre généalogique avec un père contorsionniste et une mère qui l'abandonne.
Si c'était un métier ?
— Chanteuse, comédienne, parolier et découvreur de talents.
Si c'était un animal ?
— Un moineau.
Si c'était le titre d'une chanson ?
— « La vie en rose. »
Si c'était le titre d'un film ?
— *Édith et Marcel* de Claude Lelouch.
Il s'agit d'Édith Piaf. On voit que ceux qui répondent peuvent orienter les réponses de manière plus ou moins compliquée.

Remarques
• Pour que le jeu donne toute sa saveur, il est important de bien le présenter. Et le plus simple est de commencer par un tour pour rien en donnant le nom du personnage. Chacun pourra alors faire différentes propositions en les justifiant. Les réponses doivent caractériser la personne plutôt que la décrire. Les « Si c'était… » sont variables ; en plus de ceux précédemment utilisés on peut choisir une couleur, un meuble, un vêtement, le héros d'un livre, le nom d'un chanteur, un objet courant, un moyen de locomotion, un lieu précis, une boisson, un fruit, une vertu, un défaut…

Portrait initiales

Un meneur
Un nombre indifférent de joueurs
Aucun matériel

But
Deviner, à l'aide de questions, le personnage choisi par le meneur.

Déroulement
• Un joueur sort.
• Les autres conviennent d'un nom de personnage composé obligatoirement d'autant de lettres qu'il reste d'invités participant au jeu.
• Chaque joueur choisit une lettre du nom sélectionné. Il va donc incarner un personnage dont le nom commence par la lettre qui lui a été décernée.
• Le questionneur peut rentrer et poser la question : « Initialement qui es-tu ? » Les joueurs répondent dans le bon ordre par une phrase.
• Le meneur précise s'il s'agit d'un nom simple ou d'un nom composé.

Exemple
1. « Je suis le renard rusé qui fait sa loi ! »
2. « Je suis un peintre célèbre pour son violon. »
3. « Je suis une chanteuse italienne qui adorait le bambino. »
4. « Je suis un présentateur de télévision qui porte le même nom qu'un roi des chevaliers de la Table ronde. »
5. « Je suis empereur originaire de la Corse. »
6. « Je suis un physicien d'origine allemande qui fut à l'origine d'une terrifiante découverte. »

Avec les initiales de Zorro, Ingres, Dalida, Arthur, Napoléon, Einstein, on recompose le nom de Zidane.

Remarque
On comprendra que pour ce jeu certains noms sont plus difficiles, les passionnés d'égyptologie éviteront Néfertiti, et les cinéphiles préféreront Jean-Luc Godard à Krzysztof Kieslowski !

Anneau sous la table

Deux meneurs
Un nombre indifférent de joueurs de part et d'autre d'une table
Deux bagues métalliques ou en matière plastique

But
Faire circuler une bague de main en main sans que l'équipe adverse puisse deviner où elle se trouve.

Déroulement
• Puisque les convives sont rassemblés autour de la table, il est possible de déterminer deux équipes, sans changer de place. Chaque équipe choisit son meneur.
• Si la table est rectangulaire, ceux qui sont sur les petits côtés (s'il y en a !)feront les arbitres. Si la table est ronde ou ovale, on compte les convives et l'on demande à deux personnes qui se font face de s'écarter un peu de leur voisin de droite. Si la table est carrée, la partie se fait à 4 équipes au lieu de 2.
• « Bon ! on peut commencer ? Les équipes sont prêtes ? Les meneurs reconnus ? Anik et Virginy, OK ? »
• Comme il semble difficile de demander aux jeunes tourtereaux de se séparer de leurs alliances pour ce petit jeu, deux bagues de pacotille vont les remplacer le temps du jeu.
• Le jeu commence avec une seule bague. Les convives la font circuler sous la table de main en main. Aux joueurs de se débrouiller pour le passage d'une équipe à l'autre.
• On fait un tour pour rien, le principe est de ne pas arriver à déterminer qui a la bague dans la main ; les gestes ne doivent donc pas cesser sous la table !

• Puis le premier meneur, Anik, intervient. Si elle crie : « Haut les mains », tous doivent lever les mains fermées.
• Si elle s'écrie : « Bas les mains ! », tous posent les mains à plat sur la table.
• Après quelques essais, arrive une seconde bague (donc une pour chaque équipe), celle de Virginy qui est l'autre meneur.
• Le jeu peut réellement commencer avec l'équipe de Virginy contre celle d'Anik, chacune criant en même temps ses ordres à sa propre équipe. Et quand l'une dit « Stop », plus personne ne bouge !
• Et l'équipe d'Anik doit déterminer dans quelle main se trouve la bague de l'équipe de Virginy, et réciproquement.
• Le talent des deux meneurs est déterminant pour que le jeu fonctionne bien. Il n'est pas indispensable de crier, on peut s'amuser à susurrer les consignes, et bien sûr le meneur au milieu de son équipe fait les gestes qu'il indique à tous.
• Comme le meneur s'emmêle souvent, Anik va vite laisser sa place à Gérard et Virginy à Mauricette. Quant aux mariés, ils seront bien contents de ne pas avoir prêté leur alliance !

Anneau furet

Une quinzaine de joueurs
Une pelote de ficelle de charcutier, de quoi la couper
Une bague

But
Faire circuler un anneau de main en main en le faisant glisser sur un fil.

Déroulement
• Les joueurs, sauf un, forment un cercle. On coupe un morceau de ficelle de manière à former une grande boucle que chacun attrape de ses deux mains.
• Avant de fermer la boucle d'un nœud solide, on fait glisser dessus une bague de pacotille.

• Le jeu peut commencer, chaque joueur tient la ficelle en la serrant de ses deux poings, puis les écarte et les rassemble sans arrêt comme si à chaque fois l'anneau se trouvait sous sa main.
• Le joueur mis à l'écart peut revenir et essayer de trouver où se situe la bague. Quand il pense avoir trouvé, il dit « stop », tout le monde s'arrête. S'il se trompe, il rejoue. À la troisième erreur il a un gage (voir pages 213 à 216).
• S'il tombe juste, il prend la place de la personne qui avait la bague dans la main.

Variante
On peut rythmer le jeu en chantant : « Il court, il court, le marié… » sur l'air de « Il court, il court le furet ! ».

Mare, canards, grand art

Un meneur
Un nombre indifférent de joueurs assis
Une grande serviette de table pour deux joueurs

But
Marquer un maximum de points contre son adversaire en attrapant au bon moment un foulard posé sur ses genoux.

Déroulement
• Les joueurs forment un cercle, assis en couples côte à côte. Aucune table ne doit gêner leurs mouvements. On réserve un espace libre d'environ un mètre tous les deux joueurs.
• Au départ, le meneur du jeu est au centre du cercle. Il pourra ensuite être à la fois meneur et joueur en se plaçant côte à côte avec un autre invité.
• Tous les joueurs ont les mains dans le dos. Ils sont en couples serrés l'un à côté de l'autre, seuls le bras et la main extérieurs seront utilisés.
• Chaque couple pose une serviette de table roulée en pointe en équilibre sur leurs genoux.

• Tous les joueurs sont des canards, et la serviette symbolise un ver de terre que chaque joueur doit attraper avec sa main laissée libre.
• Marque un point celui des deux qui se saisit le premier de la serviette. On joue donc contre son partenaire. Si les deux l'attrapent simultanément, chacun de leur côté, aucun point n'est marqué.
• Le meneur va raconter une histoire de fermière, de basse-cour et d'une petite étendue d'eau ; et chaque fois qu'il prononcera les mots « canard », « mare » ou « grand art », les joueurs devront saisir rapidement la serviette posée sur leurs genoux.

Exemple
« Bon, tout le monde est bien assis… Édouard, tu colles bien ta chaise contre celle de Laurence ; Bibi, toi aussi, tu te mets bien contre Pascal, les bras dans le dos. Les épaules du milieu se touchent. Et vérifiez bien que vous avez la place de bouger le bras extérieur. On y va. Au mariage de Pierre Bellemare (non, c'est pas bon !), il y avait beaucoup de monde. Et tous les invités se demandaient qui avait laissé cette petite mare (là, c'est bon), tous ceux qui ont une serviette dans la main marquent le point ! Je continue avant que vous en ayez… assez ! (tous ceux qui ont attrapé la serviette en croyant que j'allais dire un autre mot ont perdu.) On ne compte rien pour cette fois, mais au prochain coup, celui qui se trompe perd un point. Il ne faut pas charrier, mais ce jeu, c'est du grand art… »
• Le talent du meneur est dans le déroulement de son récit qui doit faire croire qu'un mot va arriver, pour le remplacer immédiatement par un autre. Et de prononcer tout de suite après l'un des trois mots fatidiques. Quant à l'histoire, elle n'a guère d'importance !

Le chasseur et le canard

Un meneur
Deux joueurs volontaires
Deux grandes serviettes de table
Une grande table libre
Des spectateurs

But

Que le chasseur touche le canard de sa main.

Déroulement

• Cette histoire de canard où tout le monde se marre pourra être l'occasion d'enchaîner sur un jeu avec seulement deux joueurs. Deux serviettes de table serviront pour bander les yeux de celui qui jouera le rôle du chasseur et de celui qui sera le canard.

• Il faut pour ce jeu une grande table vide et sans chaises. Les tréteaux qui ont servi pour l'apéritif feront tout à fait l'affaire. Débarrassez-la de sa nappe d'un grand geste et demandez qu'on l'apporte au centre devant les autres convives.

• « Mesdames et Messieurs, nous venons de vivre ensemble des moments intenses où nous avons pu rendre hommage à la férocité des canards quand il s'agit de partager un même ver. Eh bien, je vais vous demander maintenant de rester vigilants pour voir, cette fois, qui du canard ou du chasseur va l'emporter dans ce terrible parcours aveugle. Le destin de deux personnes va se jouer devant nous autour de cette table. Je vais vous demander le plus grand silence pour accueillir en premier notre canard : Marie, merci de tout cœur d'accepter ce défi ! Et voici maintenant Thierry qui va jouer ce soir le rôle de chasseur ! »

• Deux acolytes nouent une serviette devant les yeux des deux joueurs.

• « Marie et Thierry, placez-vous de part et d'autre de cette table. Vous pouvez vous déplacer tout autour, mais sans jamais perdre le contact de la table avec la main gauche. Le chasseur gagnera s'il arrive à toucher le canard de son autre main ! »

Remarques

• Puisque vous risquez d'employer souvent ce terme d'acolyte, avant qu'une oreille discrète ne comprenne l'énoncé d'une douleur viscérale, précisez qu'il ne s'agit que d'un terme désignant vos deux complices de jeu.

• C'est un jeu tonique, dans lequel le choix des deux joueurs est important. Ce sont eux qui donneront du plaisir au spectateur en faisant de grands effets dramatiques !

• Pour départager les joueurs qui voudraient s'affronter à l'issue du précédent jeu, voici quelques questions pour les départager :

1. Donnez quatre sens différents que peut avoir le mot canard.
2. Comment s'appelle la femme du canard ?
3. Comment appelle-t-on le cri du canard ?

Réponses :

1. Le canard est un oiseau palmipède, un morceau de sucre trempé dans de la liqueur ou du café, une fausse note et un journal.
2. La cane.
3. On dit que le canard cancane ou qu'il nasille.

C'est toi, c'est vous

Un meneur
Une douzaine de joueurs

But

Dialoguer le plus rapidement possible en alternant tutoiement et vouvoiement.

Déroulement

• La fête de mariage est un peu en dehors du temps social et les rapports entre les personnes peuvent s'en trouver modifiés, le temps d'une soirée... ou plus ! C'est assez typique dans l'alternance entre les vouvoiements et les tutoiements. Ce petit jeu va nous donner l'occasion de le constater.

• Il arrive quelquefois que le maire qui a mené la cérémonie soit présent pendant la soirée, souvent parce qu'il a des liens d'amitié avec l'une des deux familles. Il sera donc indispensable de le faire participer à ce jeu, qu'il remplisse sa fonction ou non !

• Assis à la table de Valérie, Philippe, Yoann, Guillaume et Magalie, c'est vous au départ qui allez jouer le rôle de Monsieur le maire (même si vous vous appelez Georgette et que vous êtes chanteuse, on dira Monsieur !).

• Chaque joueur va faire précéder son prénom de Madame, Mademoiselle ou Monsieur. Le jeu consiste à échanger le plus rapidement possible les questions et réponses du dialogue suivant en veillant à vouvoyer Monsieur le maire et à tutoyer tous les autres joueurs.

• Le jeu continue jusqu'au moment où un joueur emploie le tutoiement quand il fallait vouvoyer ou vice versa ; ou quand il n'arrive pas à répondre. Il marque une pénalité, le jeu reprend. Et au bout de 5 pénalités, on a droit à un gage (voir pages 213 à 216).

Exemples

• Monsieur Philippe : « Madame Claudine n'étant pas là, Monsieur Philippe où étais-tu ? »

• Madame Valérie : « Chez Mademoiselle Magalie » ou bien « Chez Monsieur le maire ».

• Mademoiselle Magalie (ou Monsieur le maire) : « Non, Monsieur Philippe, tu n'y étais pas ! » (ou s'il s'adresse au maire : « Où étiez-vous, Monsieur le maire ? »)

• Monsieur Philippe : « Alors, où étais-tu ? » (ou s'il s'adresse au maire : « Où étiez-vous, Monsieur le maire ? »)

• Mademoiselle Magalie (ou Monsieur le maire) : « Chez Monsieur Guillaume. »

• Monsieur Bégonia : « Non, Mademoiselle Magalie, tu n'y étais pas » (ou : « Non, Monsieur le maire, vous n'y étiez pas. »)
• Et le jeu se poursuit avec Monsieur Yoann…

Variantes
• Plutôt que de prendre les prénoms des joueurs en guise de nom, on peut utiliser des pseudonymes dans certaines catégories : noms d'animaux, ou de mots commençant par « mer ». Une discussion entre Messieurs Diplodocus, Tricératops, Iguanodon et Madame Stégosaure peut se révéler savoureuse pour ceux qui les écouteront depuis les tables voisines. Quant aux politesses entre Mesdames et Messieurs Mercure, Mère Courage, Merveille ou Merlu, cela risque vite de tourner à l'amer !
• Pour réconcilier l'Église et l'État, il existe une autre version de ce jeu : chaque joueur prend le nom d'un des légumes qui poussent dans le jardin de Monsieur le curé. Le curé dit : « Je suis allé dans mon jardin, je n'ai pas trouvé de topinambour. » Le topinambour répond : « Vous avez menti, Monsieur le curé, j'étais chez la carotte. » La carotte répond : « Tu as menti »… Vous avez compris qu'il faut dire « vous » au curé et « tu » aux légumes.

Remarques
Pour faire distingué, vous pouvez employer le terme voussoiement plutôt que celui de vouvoiement. Au risque de passer, voyez-vous, au garde-à-vous devant votre premier rendez-vous faute d'être à tu et à toi.

Connaissez-vous Pierre ?

Un meneur
De 5 à 30 joueurs assis
Pas de matériel

But

Reproduire sans se tromper les gestes et les phrases de l'animateur.

Déroulement

• Pour présenter ce jeu, éloignez-vous un peu des premières tables. Tous les participants doivent vous voir alors que vous restez assis.

Au début, quelques-uns vont reculer leur chaise pour prendre un peu d'air, pour avoir la place de bien vous observer et reproduire vos gestes. Et très vite, parce que vous aurez mis à contribution votre bonne humeur et vos talents de comédien, de nombreuses personnes se prendront au jeu.

• Les joueurs vont devoir répéter après vous paroles et gestes correspondants. L'apprentissage est progressif, comme à la maternelle. Rentrez tout de suite dans l'action, recommencez chaque formule jusqu'à ce qu'elle soit bien reproduite, sans ajouter d'autres commentaires.

Assis, penché en avant, jambes écartées, mains sur les genoux.

Vous : « Connaissez-vous Pierre ? »

Eux : « Quel Pierre ? »

Vous : « Pierre est un petit bonhomme qui a le pouce comme ça » ; en disant cela, on pose la main droite fermée, pouce en l'air sur ses genoux.

• Eux répètent la phrase et le geste.

Tous ensemble :

« Connaissez-vous Pierre ?

— Quel Pierre ?

— Pierre est un petit bonhomme qui a le pouce comme ça. »

Puis, vous ajoutez :

« ... Et l'autre pouce comme-ci » avec le geste correspondant.

• Tous reprennent depuis le départ.

Poursuivez en joignant le geste à la parole :

« ... Et l'œil fermé,

Et le menton qui tremble,

Et les oreilles qui bougent. »

Et l'on termine par :
« Et Pierre est surtout un petit bonhomme qui a une grande bouche tordue ! »
Et cette dernière phrase s'accompagne d'une horrible grimace.
• Une fois que l'ensemble des formules est bien retenu, amusez-vous à faire passer le jeu d'un joueur à l'autre et de table en table. Chacun pourra mettre le ton forcé ou l'accent qu'il lui plaira, mais sans se tromper de phrase, ni d'ordre, sous peine de repartir de zéro !

Remarques
• C'est le type même de jeu qui semble compliqué à la lecture et facile à retenir, dès qu'on s'est amusé à le faire déjà en duo.
Et méfiez-vous, cela deviendra vite très contagieux. Il est certain qu'au cours de la soirée, ou quelque temps après, vous verrez deux invités se saluer avec ce jeu.
• N'hésitez pas à le présenter en parlant tout doucement, cela obligera tout le monde à bien vous écouter.

Variante
• Commencez le jeu à une table avec un complice qui va, avec vous, se charger de le diffuser de table en table.
• Présentez le jeu à deux, avant de demander aux autres invités de vous suivre.

L'anneau et la paille

Des joueurs en cercle autour d'une table
Une paille et une bague de pacotille

But
Faire passer de joueur à joueur une bague à l'aide d'une paille que l'on tient entre les dents.

Déroulement
• Il suffit souvent de pas grand-chose pour lancer un jeu, quand les conversations et l'attention viennent de retomber

à votre table. Et certains jeux soigneusement préparés peuvent venir presque « spontanément », les invités s'y laisseront prendre bien plus facilement.

• Chaque invité vient de finir sa glace ou son cocktail avec une paille ; c'est le moment de sortir une petite bague de votre poche et de proposer ce petit jeu.

• Chacun tient sa paille entre les dents, bien à l'horizontale. On pose les mains bien à plat sur la table ou derrière son dos, le principal est de ne pas s'en servir.

• Vous glissez le petit anneau en bout de paille. Le jeu consiste à le passer à votre voisin ou votre voisine, de paille en paille et sans le faire tomber !

• C'est beaucoup plus difficile qu'on ne le croit, on louche très vite et c'est surtout très drôle !

Variante

• Cette fois, ce sont deux allumettes entières que l'on utilise par joueur.

• Dans ce nouveau jeu, il s'agit toujours de se faire passer un anneau, mais en le posant à plat sur les deux allumettes que l'on tient entre le pouce et l'index.

La taupe

Un meneur
À partir de 5 ou 6 joueurs, assis les uns à côté des autres

But

Répéter et faire passer une succession de phrases sans se tromper.

Déroulement

• Inutile d'être aveugle, ceux qui rigolent depuis le début de la soirée garderont un bien meilleur souvenir de ce mariage que ceux qui trouvent les jeux un peu bébêtes. Tant pis pour eux, si ce n'est pas le taupe niveau, mais celui qui vient n'est pas plus malin. L'important est dans le plaisir que l'on y prend !

• Le meneur commence en se tournant vers son voisin. D'un ton très sérieux, il lui demande, dans un premier temps, de simplement répéter chaque phrase qu'il annonce :
« Avez-vous vu ma taupe ?
— Oui, j'ai vu votre taupe.
— C'est qu'elle est très belle, ma taupe !
— Oui, c'est une très belle taupe !
— L'avez-vous regardée, ma taupe ? »
• Une fois que votre voisin a bien retenu ce texte hautement intellectuel, il l'apprend à son voisin de la même manière.
• Chaque joueur doit changer d'intonation, celui-là le dira tristement, gaillardement, joyeusement, étonnamment quand celui-ci le dira dramatiquement, très lentement, prestement, sentimentalement, érotiquement ou sans aucune intonation !
• Puis on refait un tour, dans lequel chaque joueur redit l'une des phrases et chaque fois que l'on répond, on doit fermer les yeux. Le dernier conclut en regardant son voisin de très près, en plissant les yeux, et sans rire sous peine d'avoir un gage (voir pages 213 à 216).

L'homme, la femme et le rouleau à pâtisserie

À partir d'une dizaine de joueurs formant un cercle autour du meneur

But
Répondre à un geste par un autre qui lui est supérieur.

Déroulement
• L'image de la femme qui attend son mari tard dans la nuit, un rouleau à pâtisserie à la main, n'existe plus que dans certains éphémérides humoristiques… et comme prétexte à ce jeu ! Voici une façon humoristique d'expliquer ce jeu dans lequel un geste différent va accompagner chacune des trois phrases utilisées.

• « L'homme est plus fort que le rouleau à pâtisserie qui est plus fort que la femme, qui est elle-même plus forte que l'homme. »
• « Pour symboliser l'homme, on pose les deux mains sur les genoux en croisant les bras…
… pour le rouleau à pâtisserie, on fait le geste d'assommer en tenant l'outil par une poignée — tenir son outil à pleine poignée, monsieur le fait très bien, mais c'est pas le bon geste !
… et pour la femme, on met les deux pouces dans les oreilles en écartant bien les doigts. »
• N'hésitez pas à faire répéter les gestes et les phrases pour qu'ils soient intégrés par tous : « L'homme, le rouleau et la femme ! »
• Maintenant, je vais m'adresser à l'un d'entre vous en lui faisant l'un des gestes accompagné du mot correspondant. À vous de me répondre… — non Monsieur, pas par le même geste, c'est ce que je pensais, le geste que vous avez fait tout à l'heure rend bien sourd ! Je disais donc : le geste supérieur. On va faire des exemples.
• Je fais l'homme, vous devez répondre en faisant la femme !
• Je fais le rouleau, vous devez faire l'homme.
• Je fais la femme, vous devez faire le rouleau. »

Le téléphone arabe

6 à 15 joueurs en cercle
Un meneur

But
Transmettre une phrase de bouche à oreille.

Déroulement
• Le jeu existe depuis si longtemps, il est passé par tant de bouches et tant d'oreilles que plus personne ne sait très bien pourquoi on qualifie ce téléphone d'arabe. Sans doute parce qu'à l'installation des premières lignes de téléphone,

on craignait que le fil qui chante ne soit concurrent de ce qui faisait le tissu des relations : « Je te le dis à toi, et surtout ne le répète pas ! »
Peu importe, ce jeu est toujours plaisant et c'est le moment de lancer une rumeur.

- « Vous savez que l'on raconte beaucoup de choses sur les maris, les femmes et les amants ! Eh bien, je vais glisser dans l'oreille de mon voisin une phrase qu'il devra lui-même transmettre de la même manière. Et quand la phrase aura fait le tour de la table, nous verrons bien ce qu'il en adviendra ! »

Exemples
« Le boulanger est dans le pétrin, quand la pâtissière est au bout du rouleau ! »
« Mon mari est marrant, mon amant est marri et sa femme est infâme ! »
« On raconte que (prénoms des mariés) se sont mariés ce matin, et que c'est grâce à eux que nous jouons à ce jeu du téléphone arabe. »
On pourra également utiliser les citations d'amour de la page 47.

Remarques
Dans notre société où les femmes de ménage s'appellent des techniciennes à l'entretien des surfaces, les concierges des gardiennes, les coiffeurs des capilliculteurs… certains pourraient craindre une connotation raciste dans l'intitulé de ce jeu ! C'est vraiment créer un problème là où il n'y en a pas, alors que personne ne sera dérangé par l'image de la femme avec son rouleau à pâtisserie. Tiens, à propos de pâtisserie, si on se mangeait une tête-de-nègre ?

Grimaces

Des joueurs assis et un meneur
Aucun matériel

But
Détendre l'atmosphère en faisant des grimaces sans rire.

Déroulement
• Le serveur vient d'apporter un magnifique plat de saumon, avec un brin d'aneth, une petite tache de tarama, et un quart de citron dentelé. Tout le monde semble apprécier, sauf Liza, qui fait « la soupe à la grimace ». C'est l'occasion de lancer un nouveau jeu pour détendre l'atmosphère et les visages : un concours de grimaces !
• Le jeu commence comme celui du téléphone arabe : une phrase doit circuler de bouche à oreille sans perdre sa trace.

Exemples
« Je ne sais faire que des grimaces, que voulez-vous que j'y fasse ? Ça me dépasse. » Ou « Dans ma soupe à la grimace, j'ai glissé quelques limaces sans malice. Je sens leur crasse qui crisse sous la glace. »
• Et quand la phrase revient à son expéditeur, celui-ci doit faire une grimace stupide qui doit faire le tour des invités. Et bien sûr, tout le monde doit y passer et personne ne doit rire !
• Et le jeu repart avec une phrase à répéter, et une épouvantable grimace à se transmettre.

Remarques
• Tous ceux qui hésiteraient à jouer par peur de manquer de grimaces pourront facilement se ressourcer en louant la cassette d'un film de Louis de Funès ou de Jerry Lewis. À regarder en grimaçant, bien sûr !
• Autre solution qui enrichit le jeu au risque de vous couper la faim : inventer d'épouvantables recettes dignes de Gaston Lagaffe, comme le gruyère fourré à la confiture d'abricots et aux anchois ou une bonne cuillerée de chocolat chaud dans l'huile ! Mais méfiez-vous, dans certains buffets très chic, on rencontre quelquefois de curieux mélanges. Et là, tout le monde aura le droit de faire la soupe à la grimace !

Vraoum !

Un meneur et des joueurs assis en cercle

But

Mimer, avec le son en plus, une conduite sportive.

Déroulement

• Nombreux sont les amateurs de voitures et de bandes dessinées qui ont, gamins, vibré pour les aventures du séduisant Michel Vaillant. Et c'est sans doute par nostalgie que les albums de Jean Graton remportent toujours du succès, quarante ans après leur création dans le journal de Tintin. Le champion automobile croise dans ces planches des champions contemporains à grand renfort de « Vraoummm ! ». C'est de ces bruitages que ce jeu va s'inspirer.

• Les joueurs sont assis en cercle ; ce n'est plus une phrase que l'on va se faire passer, mais l'onomatopée « Vraoummm ! », à grand renfort de gestes : les épaules en arrière, l'assiette (vide !) en guise de volant, la mâchoire serrée et les yeux plissés.

• Le voisin doit répéter et interpréter gestes et bruits à sa façon. Et le jeu fait de la table un champ de course !

• Il est maintenant possible d'introduire deux nouveaux signaux : « IIIII ! », le coup de frein à grands coups sous la table et le klaxon « Tut ! tut ! » qui oblige à ralentir.

• Lorsqu'un joueur se sert de son frein, le jeu doit repartir dans l'autre sens.

• Lorsqu'un joueur utilise son klaxon, les « Vraoummm » doivent êtres plus discrets et la conduite plus souple.

Remarques

• C'est un jeu qui réveille ! Mais c'est aussi un jeu qui révèle certains comportements au volant. Il y aura certainement une des charmantes convives qui fera remarquer à ses camarades masculins leur mauvaise conduite. Tant que cela reste un jeu, il n'y a pas grand risque. Et puis, c'est peut-être l'occasion d'inciter les invités à ne pas prendre le volant si la soirée est déjà bien arrosée ! Et de toutes les manières : vive le co-voiturage !

Majesté

Un joueur désigné, isolé du groupe, assis sur une chaise
Des joueurs et des spectateurs

But
Arriver à faire éclater de rire un joueur qui reste impassible.

Déroulement
• Il suffit quelquefois, dans une soirée, d'une seule personne pour frigorifier l'assemblée. Et tout le monde n'a pas le talent de Buster Keaton : faire rire en restant impassible. Pourtant, ce jeu va essayer de démontrer le contraire.
• Une chaise est installée avec beaucoup de cérémonial au milieu de la salle, bien visible de tous les invités. Le truc consiste à choisir dès le départ un ou une invité(e) que l'on sait capable de rire à la moindre bêtise avec des éclats communicatifs. Le jeu sera ainsi vite mis en place et sans gêne. Et l'on se débrouillera pour que cette même personne désigne ensuite celui (ou celle) qui prendra sa place. Ce sera alors l'occasion unique de voir l'oncle Pierre se mettre à rire !
• La Reine est en place. À tour de rôle, chaque invité qui le souhaite va lui apporter un cadeau avec force grimaces, courbettes et formules pompeuses. Le cadeau est dérisoire : un papier de chewing-gum, un mégot…
• Le but est d'arriver à dérider sa majesté ! Sans la chatouiller, bien sûr !

Variante
• Ce jeu peut aussi être l'occasion de se présenter. Dans ce cas, les sujets viennent jusqu'au trône, déclinent leurs prénom et nom, et doivent apporter des objets précis. « Bonjour, monsieur le Roi, je m'appelle Joseph Martin, je viens d'Angoulême ; et je vous apporte des jupes, des myosotis et

des ananas. » On aura compris qu'il s'agit d'apporter des objets dont le nom commence par les initiales de son prénom, de son nom et de sa ville d'origine. Inévitablement, Xavier apportera un xylophone et Kent un kaki, mais il faut souvent plusieurs exemples pour que tout le monde comprenne le truc.

Remarque

• Le rôle du monarque peut sans problème être tenu par un enfant, qui sera très fier de voir les adultes se prosterner à ses pieds et tenter de le faire rire. Évidemment, pour ce jeu, les photos s'imposent.

Pauvre petit chat malade

Des joueurs et des spectateurs
Un meneur

But

Arriver à faire éclater de rire un joueur qui reste impassible.

Déroulement

• Voici un autre jeu où il est interdit de rire et qui pourtant fait très vite pleurer de rire. Les joueurs restent assis en cercle autour de la table ; un joueur vient se frotter contre leurs genoux en miaulant.

• Chacun à tour de rôle doit lui caresser la tête avec beaucoup d'application, en disant trois fois avec sérieux et compassion : « Pauvre petit chat malade ! »

• Pour lancer le jeu, il faut un bon chat, qui se frotte bien contre les joueurs en poussant de longs et divers miaulements. C'est le meilleur moyen pour présenter le jeu, en rentrant directement dans le vif du sujet. N'ayez aucune crainte, allez-y ! On n'est ridicule que lorsque l'on se sent soi-même ridicule ! Et puis, vous avez le privilège de choisir la table qui vous semblera la plus prompte à démarrer.

Remarque

• Comme beaucoup d'autres jeux présentés dans ces pages, vous aurez l'occasion de découvrir des personnes que vous connaissiez déjà sous des aspects souvent inattendus. C'est bien le rôle des fêtes que de permettre de laisser tomber les masques pour faire apparaître l'humour qui est en nous.

La jarretière

L'ensemble de l'assistance
Un meneur et ses acolytes
Des panières à pain pour récolter les mises

But

Mener les enchères pour récolter un maximum d'argent pour les mariés.

Déroulement

• À l'origine, la jarretière est une bande élastique destinée à fixer les bas en les entourant au-dessus ou en dessous du genou. Mais c'est surtout une animation incontournable dans tous les mariages, et qu'il serait dommage de laisser perdre.
• Reconnaissons qu'aujourd'hui plus personne n'est effarouché de voir une jolie femme remonter plus ou moins sa robe et ses jupons pour découvrir sa jambe de bas en haut. Mais tout est affaire de talent et d'humour, et la mariée peut être la première à s'amuser de ce jeu finalement bien innocent. Si celle-ci a acheté sa robe dans une boutique spécialisée ou l'a fait faire par une couturière, il est certain que la petite main lui aura proposé différents modèles de jarretière. On en trouve également dans toutes les boutiques de matériel pour faire la fête. C'est cet objet fixé en haut de la cuisse nuptiale qui va être l'occasion de bonnes fortunes et de joyeuses convoitises.
• L'objectif de cette animation est de faire participer toutes les personnes présentes.
• Par rapport à l'organisation de la soirée, il est indispen-

sable de déterminer quand se placera la jarretière. Pour souffler un peu entre les danses, les jeux spectaculaires et la pièce montée ? Tout de suite après le repas pour avoir le maximum d'invités encore présents ?

• Le meneur de ce jeu doit être quelqu'un qui connaît bien les familles et les copains des mariés pour pouvoir trouver le bon mot et l'anecdote concernant chacun des invités. Il pourra en plus les appeler par leurs prénoms.

• La mariée, après avoir glissé la jarretière en haut de sa cuisse, monte sur la table (stable, la table, merci pour elle !).

• Les invités doivent miser pour que la robe monte ou descende jusqu'à la jarretière. Lorsque celle-ci est enfin complètement découverte (la jarretière, pas la mariée, on se calme !), le jeu est terminé. Et le veinard qui a mis la dernière mise peut aller la retirer. Au meneur de repérer quelle personne sera heureuse de récupérer la jarretière (le père de la mariée, le meilleur copain…) et d'entraîner le jeu en sa faveur.

• Il est de tradition que les femmes paient pour que la robe descende et les hommes pour qu'elle remonte. Et le meneur jouera à celui qui ne comprend rien en demandant à la mariée de remonter sa robe quand elle doit descendre et vice versa.

Remarques

• Si les mariés sont déjà installés depuis quelques mois, ce qui est de plus en plus le cas, s'ils ont indiqué une liste de mariage, il est un peu difficile de demander aux invités de mettre la main au portefeuille une fois de plus. Mais cela est laissé à la discrétion des mariés, qui connaissent les traditions familiales comme leurs envies personnelles. Ils peuvent proposer d'un commun accord que la fortune viendra pour aider quelqu'un que tout le monde sait dans une passe difficile, ou pour la reverser à une association caritative. Tout cela doit être clairement dit dès le départ pour que l'intérêt du jeu ne soit pas uniquement financier.

• Attention, ce jeu peut entraîner des conflits financiers et

nous savons chacun combien l'utilisation que nous faisons de notre propre argent est irrationnelle et subjective. On peut se la jouer flambeur en agitant les billets, mais le meilleur système pour les mises reste les enchères à l'américaine : chacun met la même somme, dix francs, et la dernière mise est la gagnante. Cette solution permet également aux enfants de participer.
• On peut aussi préparer des petits sachets contenant entre cinq et vingt pièces de dix francs, une personne se chargeant de vendre les petits sachets, dans une discrétion totale sur la valeur du contenu au moment de la mise.
• C'est à la mariée de prévoir si elle souhaite participer à ce jeu et sous quelle forme, en testant dans son entourage proche les spécialistes de ce type d'enchères.

Variante
Il est possible également de faire intervenir le hasard en fabriquant deux dés géants avec du carton et du plastique adhésif.
• Disposez sur les six faces du premier les mots suivants : Monter (deux fois), Descendre (deux fois), Passe et Banqueroute.
• Sur les faces de l'autre dé, reproduisez les points habituels qui correspondront à des centimètres.
• Le premier dé est celui des directives, le second celui de la mesure. À « Banqueroute » la robe touche le sol, à « Passe » la mariée ne bouge pas. On mise avant de lancer le dé, bien sûr !

Le panier garni

Un meneur qui passe de table en table
Un panier garni
Une balance romaine

But
Récolter un maximum d'argent pour les mariés ou pour une autre cause.

Déroulement

• Voici un autre jeu moins spectaculaire qui permettra de rapporter facilement de l'argent, à condition de bien soigner la présentation.

• Vous avez préparé un grand cabas décoré dans lequel sont empilés toutes sortes d'ingrédients pouvant servir à un couple pour une soirée d'amour !

• On pourrait trouver : un CD de chansons d'amour, une anthologie de poèmes d'amour, une paire de chandeliers avec les bougies et un joli briquet, un bouquet de fleurs en tissu, deux assiettes assorties avec les couverts et les verres, une jolie nappe, un brûle-parfum, une boîte de préservatifs... Tous ces objets ne sont pas emballés.

• Vous présentez au centre de la piste le cabas avec tous ses cadeaux en les commentant avec humour, puis vous annoncez que le contenu intégral du cabas reviendra à la personne qui en découvrira le poids exact.

• Tout au long de la soirée, une ou plusieurs personnes vont circuler d'un invité à l'autre, demandant à chacun d'estimer le poids exact. La participation est à hauteur de dix francs par personne. Vous notez scrupuleusement le poids supposé et le nom de la personne sur un petit carnet.

• Celui qui s'en rapproche le plus (on prendra une balance romaine, pour vérifier le poids exact) remporte le panier et son contenu, et les mariés, le pécule.

Pour danser

Pas de mariage sans danse ; c'est le moment de montrer sa toilette, d'être séduisant ou de prouver ses talents. Grand-père regrettera les tangos et du coup fera une démonstration éblouissante dans son duo avec Grand-mère. Les copains des mariés montreront leurs capacités à innover et la belle-mère se fera à tout jamais la réputation d'une fantastique rockeuse.
Et puis, il y a toujours ceux qui n'osent pas faire le premier pas sur la piste de danse de peur d'être ridicules. Et pourtant, ils en meurent d'envie !
Voici donc plusieurs jeux pour que tout le monde puisse prendre part à un moment ou un autre au plaisir de la danse, seul, en duo ou en groupe.

Boule de neige

Un couple de danseurs, puis d'autres

Déroulement

• « Notre fille à ton bras, ce qu'elle était exquise… » chantait Pierrette Bruno à Bourvil dans une chanson sur les parents des mariés : « On a vécu pour ça ! » C'est une belle tradition que de voir la mariée ouvrir le bal avec son père comme premier cavalier. Tradition que le couple pourra exécuter sur une jolie valse de Strauss, ou sur un rythme de rock endiablé ! Tout est question de compétences, de style et d'envie. Nul doute que le marié vienne ensuite inviter sa belle-mère, dans un bel équilibre.

• Mais les invités ont souvent un peu de mal à faire le premier pas de danse, de peur de ne pas bien faire ou d'être jugés. Voici un petit truc facile à mettre en place.

• Puisque deux couples sont sur la piste, dès que le morceau change pour passer à un autre, le marié va chercher une autre femme, son épouse fait de même, et chaque parent aussi. Et l'on renouvelle les invitations à un rythme de plus en plus rapide, chaque cavalier partant à la recherche d'une nouvelle cavalière, et chaque cavalière reproduisant le même jeu avec un nouveau partenaire.

Remarque

Pour toute cette série de jeux autour de la piste de danse, il est important de se mettre d'accord avec la personne qui jouera le rôle de disc-jockey pour le choix des musiques comme pour les réglages techniques. Celui qui jouera le rôle de meneur pourra utiliser un micro pour ses explications ou la conduite des jeux. Mais, à moins d'avoir du très bon matériel (au minimum un micro HF, pour ne pas s'emmêler les pieds !), on risque plus d'avoir des problèmes de larsen et une surenchère de bruits très vite épuisants, surtout pour ceux qui ne dansent pas, mais souhaiteraient, quand même, pouvoir tenir une conversation intelligible. Et c'est au milieu des joueurs que l'on mène le mieux un jeu, parce que l'on voit très bien ce qui s'y passe.

Mots couplés

Un meneur
Plusieurs invités hommes et femmes
Des cartons préparés

But
Des mots à piocher pour former des couples.

Déroulement
• Pour trouver le partenaire que le destin vous attribue, voici quelques groupes de mots à associer. On choisira une couleur différente pour les garçons et pour les filles.
• Chacun pioche un papier de la couleur correspondant à son genre et cherche le mot qui le complète.

Exemples
• Quelques mots doubles à recomposer :
Abat-jour, après-midi, avant-bras, avant-hier, basse-cour, château fort, chausse-trape, chauve-souris, Coca-Cola, cocotte-minute, coffre-fort, compte-gouttes, contre-plaqué, cumulo-nimbus, franc-parler, haut-parleur, nouveau-né, quatre-épices, quatre-quarts, reine-claude, rendez-vous, roman-photo, rouge-gorge, sado-maso, science-fiction, soutien-gorge, taille-crayon, timbre-poste, tire-bouchon, tire-lait, trompe-l'œil, week-end et le fameux raton laveur de Jacques Prévert.

Variante
• On peut aussi préparer différents cœurs découpés dans des cartons en variant la taille et les couleurs, puis les déchirer en deux. Il s'agira de retrouver alors son partenaire. On prendra soin de bien identifier les morceaux à tirer par les garçons de ceux des filles.

Tu l'as dans le dos !

Un nombre à peu près égal de femmes et d'hommes
Des papiers et une petite épingle pour chaque femme

But

Les femmes vont choisir leur partenaire d'une danse après un jeu de questions-réponses.

Déroulement

• Dans un mariage, on rencontre des personnes de toutes générations, et le nombre d'hommes et de femmes est plus équilibré que dans d'autres soirées. L'un des objectifs que peuvent se fixer les organisateurs de la fête est de favoriser le maximum de rencontres. Souvent pour que chacun garde un souvenir un peu extraordinaire de cette soirée (ce n'est pas tous les jours qu'on a forcément l'occasion de changer de cavalier sans que cela prête à confusion).
• Autrefois, les épousailles et les noces étaient l'une des occasions pour que les gars rencontrent les filles, souvent sous l'œil de leurs parents, et il n'était pas rare que la soirée se termine sur un ou plusieurs mariages en prévision !
• Ce jeu et ceux qui suivent vont permettre de créer de nouveaux couples, le temps d'une danse… ou peut-être plus !
• Quelqu'un a pris le temps de noter le nom de chaque homme disponible pour une danse, sur un morceau de papier de la taille d'une carte à jouer.
• Les papiers nominatifs sont disposés dans un panier sans que l'on puisse les lire. Chaque femme en tire un, qu'on lui épingle dans le dos, sans qu'elle ait eu le temps de le lire.
• Chacune se déplace vers un autre invité, lui montre son dos pour que celui-ci puisse lire. Puis elle pose des questions pour pouvoir identifier son futur partenaire. On ne peut leur répondre que par oui ou par non.

Remarques
• Les questions doivent être descriptives : « Est-ce qu'il fait partie de la famille du marié ? de la mariée ? est-ce que c'est l'un de leurs copains ? Est-ce qu'il porte une cravate ? Est-ce qu'il a des cheveux sur la tête ? »
• Très vite, les questions vont se croiser, et les chemins sont souvent curieux pour arriver à mettre un prénom sur une tête. Évidemment, le meneur sera capable de donner des renseignements puisqu'il est censé connaître tous les hommes dont les noms ont été piochés.

Variante
• Si quelqu'un a des talents de caricaturiste, on peut l'utiliser pour remplacer les noms et prénoms. On peut également utiliser un polaroïd.

Partenaire aléatoire

Un meneur
Plusieurs invités hommes et femmes

But
Choisir un partenaire de danse grâce à différentes petites formules.

Déroulement
• Le meneur peut inciter les femmes à choisir ou à changer de partenaires de danse sur de nouveaux critères :
« Mesdames, le temps d'une danse, vous devez choisir un partenaire qui ait la même couleur de cheveux que vous (d'yeux, de chaussures...). Pour celles qui restent, je propose que vous choisissiez un homme qui ait la raie à gauche, la raie à droite ou la raie au milieu. Même très large, la raie au milieu ! »

Variante
• C'est ce que l'on pourrait appeler « le fil à la patte ». Toutes les femmes sont d'un côté de la piste et tous les hommes leur

font face. On attache à la cheville de chaque femme une ficelle de quatre à cinq mètres. Puis on mélange les bouts, les hommes viennent s'en saisir et chacun remonte jusqu'à sa promise.

Couples célèbres

• Pour trouver le partenaire que le destin vous attribue, voici quelques exemples de couples célèbres. On choisira une couleur différente pour les garçons et pour les filles ; pas forcément rose et bleu, mais plutôt pour les hommes une couleur que l'on trouve dans le costume du marié et une autre dans celui de sa jeune épouse. Ce sont donc des accessoires à préparer.
• Attention, suivant l'âge et les centres d'intérêt des différents invités, il sera plus ou moins difficile de savoir de qui l'on parle. C'est pour cette raison qu'il est plus facile, particulièrement dans la catégorie *people*, de prendre des couples de notoriété évidente et quasi permanente. Sous peine de retrouver, face à Édith Piaf, par exemple, un nombre important de compagnons : Yves Montand, Paul Meurisse, André Pousse, Marcel Cerdan, Georges Moustaki, Théo Sarapo, Eddie Constantine, Jacques Pills…

• Cette liste n'est pas limitative, et l'on pourra la compléter en fonction de l'actualité :
Adam & Ève
Alain Delon & Romy Schneider
Alfred de Musset & George Sand
Astérix & Obélix
Bonnie & Clyde
Boule & Bill
Bouvard & Pécuchet
César & Cléopâtre
Christian Clavier & Marie-Anne Chazel
Dana Scully & Fox Mulder

Delphine & Marinette
Dupont & Dupond
Erkmann & Chatrian
Federico Fellini & Giulietta Massina
Footit & Chocolat
France Gall & Michel Berger
Jacob & Delafont
Jacques Dutronc & Françoise Hardy
James Bond & Docteur No
Jean Cocteau & Jean Marais
Jean Poiret & Michel Serrault
Jean-Louis Barrault & Madeleine Renaud
Jean-Paul Sartre & Simone de Beauvoir
la Belle & la Bête
la Belle & le clochard
la vache & le prisonnier
le Loup & l'Agneau
le Corbeau & le Renard
Liz Taylor & Richard Burton
Lucky Luke & Jolly Jumper
Marcel Uderzo & René Goscinny
Maritie & Gilbert Carpentier
Marius & Fanny
Marius & Jeannette
Marius & Olive
Michel Drucker & Dany Saval
Mickey & Minnie
Mireille & Jean Nohain
Montaigne & La Boétie
Napoléon Bonaparte & Joséphine de Beauharnais
Paul & Virginie
Pierre Curie & Marie Curie
Rainier de Monaco & Grace Kelly
Rintintin & Rusty
Rivoire & Carret
Roche & Bobois

Roger Pierre & Jean-Marc Thibaut
Roland Petit & Zizi Jeanmaire
Roméo & Juliette
Romulus & Rémus
Salvador Dali & Gala
Serge Gainsbourg & Jane Birkin
Sherlock Holmes & Docteur Watson
Spirou & Fantasio
Stan Laurel & Oliver Hardy
Starsky & Hutch
Stone & Charden
Tanguy & Laverdure
Tom & Jerry
Tristan & Yseult
Ulysse & Pénélope
Victor Hugo & Juliette Drouet
Villeroy & Boch
Yves Montand & Simone Signoret

Variantes

• Pour cette autre série, le meneur prendra le soin d'écrire les mots en majuscules et sans accents, sans révéler que c'est l'anagramme du mot que l'on vient de tirer qu'il va falloir retrouver.

AIGLE & AGILE
ANARCHISTE & CHARENTAIS
ANTILOPE & POILANTE
CEINTURON & CENTURION
DIVORCEE & DECEVOIR
IMAGINER & MIGRAINE
INTERROGATIVES & TERGIVERSATION
LAPIN & ALPIN
LAVANDE & VANDALE
LIMONADIER & MERIDIONAL
LOUBARD & BALOURD
MASSACRE & SARCASME

NATURALISE & AUSTRALIEN
ORIGINEL & RELIGION
PARISIENS & ASPIRINES
SCRIPTE & TRICEPS
TEQUILA & QUALITE

• On peut choisir le même mot changeant de sens suivant le genre : « Je suis sur les bateaux quand je suis au féminin, et sur la tête au masculin… la voile et le voile. »
— Je suis féminin en plusieurs exemplaires dans un livre, et j'accompagne mon maître au masculin : la et le page.
— Je sers à confectionner les gâteaux au masculin, et vis accroché aux rochers sous l'eau au féminin : le et la moule.
— Masculin, j'accueille les fleurs, féminin je suis un mélange de sable et d'eau : le et la vase. »

• Un simple dictionnaire permettra de faire rapidement d'autres découvertes comme : pendule, manche, trompette, mousse, critique…

Le compte est bon

Des danseurs sur la piste
Un meneur

But

Tester sa souplesse en se baissant et en se levant progressivement.

Déroulement

• Pas d'inquiétude, il ne s'agit pas de s'arrêter de danser pour proposer un tournoi des *Chiffres et des Lettres* avec de savants calculs mentaux ! Non, ce sont plutôt les muscles des cuisses et le dos qui vont être mis à rude épreuve.

• Choisir une musique plutôt calme pour le départ, puis demander aux danseurs de s'accroupir progressivement tout en continuant à danser.

• Donnez le rythme en numérotant les différentes hauteurs : le cul sur les talons, c'est 1 et les bras tendus sur la pointe des pieds, c'est 20.

• Une fois que les hauteurs sont bien déterminées, vous pouvez les annoncer dans le désordre et pas question de changer de hauteur tant qu'un autre chiffre n'est pas annoncé.

Remarque

Encore un jeu épatant s'il est bien mené et s'il est court !

Danse vis-à-vis

Des danseurs en couple sur la piste
Un meneur

Déroulement

• Gainsbourg avait inventé la Décadanse, un slow langoureux où la partenaire tournait le dos à son partenaire en se frottant contre lui. Sur ce même principe, il est possible de proposer de nouvelles positions pour les couples de danseurs, en donnant l'occasion de changer de partenaire.

• Les joueurs-danseurs sont par couples et forment un cercle. Le meneur donne les indications : « dos à dos, face à face, main droite dans main droite, deux mains ensemble, épaule contre épaule… »

• Et lorsqu'il annonce « vis-à-vis », tout le monde doit changer de partenaire, et celui ou celle qui reste seul se retrouve au milieu et poursuit le jeu dansé.

Variantes

• Le meneur indique « changez droite » et tout le monde change de partenaire à sa droite ; et « changez gauche »…

• Les joueurs forment deux cercles, le premier avec des hommes et le second avec des femmes. Les deux cercles sont concentriques et légèrement distants, le meneur est au centre ou complètement à l'extérieur selon la place et le nombre de participants.

C'est à lui de donner des ordres : « nez à nez, genoux à

genoux, oreille gauche à oreille gauche… » Chaque indication doit se terminer par « dos à dos ». Les joueurs du cercle intérieur se placent alors en face d'un autre partenaire en passant par le centre du cercle ; c'est à ce moment que le meneur essaye de récupérer une place dans le cercle.

Le cerceau et le chapeau

Des danseurs sur la piste
Un meneur
Un chapeau et un grand cerceau

But
Sans cesser de danser, se passer un cerceau et un chapeau et exécuter des gestes.

Déroulement
• Trouver un lieu approprié pour recevoir tous les invités, prévoir un buffet et une piste de danse n'est pas une chose facile. L'organisation d'un mariage et des festivités qui vont suivre tient souvent du parcours du combattant. Côté salle, c'est souvent une salle polyvalente ou « défaites » qui servira pour la soirée. En fouillant dans les vestiaires de cette salle, il y a de fortes chances que vous y découvriez des cerceaux servant à des séances d'activités gymniques. Empruntez l'un d'entre eux, quitte à l'entourer de tulle pour faire plus fête, et vous voilà prêt à proposer un nouveau jeu qui va donner du pétillant au moment des danses.
• Choisissez une musique rythmée. Les joueurs forment un cercle, et dansent individuellement en restant à leur place.
• C'est le moment que vous choisissez pour faire circuler dans un premier temps votre cerceau. Chaque danseur, sans cesser de danser, doit s'en saisir, passer entièrement à l'intérieur de bas en haut ou de haut en bas, puis le transmettre à son voisin.
• Maintenant que le cerceau circule d'un danseur à l'autre

dans le sens des aiguilles d'une montre, vous pouvez amener dans le cercle un chapeau.

• Celui-ci va passer d'un joueur à l'autre dans le sens contraire. Chaque fois qu'un danseur se trouvera en possession des deux accessoires, il devra faire un gage (voir pages 213 à 216). Et s'il réussit, chapeau bas !

Remarques

Puisque nous parlons de mariage se déroulant dans l'une de ces salles festives, signalons combien la décoration de ces lieux est importante pour la réussite de la fête.

• Première chose à faire : retirer ou cacher tout ce qui se rapporte à d'autres manifestations, affiches, guirlandes abîmées, restes d'un autre mariage…

• Deuxième chose : la lumière ; louez des spots, des petites lampes d'ambiance à mettre sur les tables, mais par pitié, pas ces épouvantables néons qui nous donnent un teint de métro.

• Troisièmement : décorez, avec des branchages, des ballons gonflés, des nouvelles guirlandes…

• Quatrièmement : n'oubliez jamais la sécurité, pensez aux risques d'incendie et libérez les issues de secours.

Whisky, Coca, Tonic

Des danseurs sur la piste
Un meneur

But

En fonction de la boisson annoncée, les joueurs prennent une position précise.

Déroulement

• « Tout le monde sait qu'en Russie on boit de la vodka. Et ceci particulièrement lors des mariages. Voici comment cela se déroule : tout le monde boit sa gorgée du précieux breuvage fortement alcoolisé à base de seigle et d'orge ; puis quelqu'un se lève en criant "Gorki", ce qui veut dire amer (dans le sens : la vodka, c'est trop amer, il nous faut quelque chose pour radoucir) et les mariés s'embrassent. Ça dure comme ça toute la soirée jusqu'à que tout le monde soit imbibé », racontait Emma, lors d'un récent mariage.

• Bien sûr, nous déconseillons cette pratique un peu rus-se'tique, mais le jeu que nous proposons maintenant pourrait s'en inspirer. On invite celui qui se trompe à offrir un verre de la boisson citée à la personne de son choix… qui est libre de le transmettre à une autre !

• Tous les joueurs sont sur la piste et tout le monde danse en couple.

• Lorsque le meneur dit « Coca », tout le monde s'arrête de bouger comme une statue.

• Lorsqu'il dit « Tonic », les hommes doivent porter leur cavalière.

• Et lorsqu'il dit « Whisky », on change de cavalière.

Remarque

• Au lieu de proposer à celui qui s'est trompé de flatter le gosier d'un autre invité, on peut lui poser la question suivante : « Quelle est la particularité de cette phrase : *Portez ce vieux whisky au juge blond qui fume* ? »

• Voici la réponse : dans cette phrase chacune des 26 lettres de l'alphabet est utilisée au moins une fois.

La danse du balai

Des danseurs sur la piste
Un meneur
Un balai

But

Provoquer le changement de partenaires à l'aide d'un balai.

Déroulement

• Classique parmi les classiques : la danse du balai ! Dans nos premières boums, surprises-parties ou thés dansants (tout est question de génération !), il y avait toujours un imbécile, pas forcément gâté par la nature, qui interrompait le slow langoureux pour frapper le sol avec son balai !
Ce qui prouve qu'il faut avoir du talent pour proposer un jeu qui tombe bien ! Mais cette fois, c'est le balai qui ne doit pas tomber ; alors, allons-y pour l'explication. Quant à Papy, il aura bien le temps de raconter comment il a emballé Mamie lors d'un p'tit bal du 14 juillet.
• Tous les couples dansent tendrement enlacés. Le meneur a pour cavalière un balai avec la partie poils en l'air. Il doit danser avec talent.
• Puis tout à coup, il s'écrie : « Changement de cavalière » et se précipite pour prendre une nouvelle compagne de danse.
• Les nouveaux couples doivent se reformer rapidement. Et l'homme qui se retrouvera « célibataire » (on évitera ici la contrepèterie que ce mot contient à lui seul !) se chargera de faire danser le balai.

Remarques

• On comprendra que le principe de ce jeu est bien de faire danser tout le monde. L'un des plaisirs d'un mariage réside dans ce mélange de générations. Les danses ne doivent pas être réservées aux spécialistes, les autres faisant tapisserie sur le bord de la piste.
• On peut s'amuser avec l'objet balai : en dénichant un balai de jonc semblable à celui d'une sorcière ou en fixant de grosses lunettes sur le balai pour lui donner bonne figure.

La danse du tapis

Des danseurs sur la piste
Un meneur
Un paillasson ou une feuille de journal ou un grand foulard

But

Déposer le tapis devant le partenaire de son choix pour qu'il vienne vous donner l'accolade.

Déroulement

• Voici encore un classique des jeux de mariages où, générations confondues, on pourra choisir d'embrasser qui l'on veut !

• Les invités font une ou plusieurs rondes. La tradition veut qu'un homme au centre du cercle lance le jeu. Mais la tradition est aussi faite pour être bousculée, non ?

• La musique est entraînante, celle ou celui qui est au milieu pose le tapis devant la personne de son choix. La farandole doit s'arrêter. Le couple face à face s'agenouille et se donne l'accolade. Celui ou celle qui portait le tapis rentre dans le cercle et celui ou celle qui reste va chercher un nouveau partenaire.

Remarques

• Suivant l'ambiance et le couple, l'accolade peut prendre toutes les formes, du baiser sur le front à la vraie pelle que l'on roule avec bonheur. Et c'est bien là l'intérêt d'un tel jeu : chacun peut jouer la sincérité, la passion dévorante ou la tendre amitié. Rappelons un petit truc de clown pour piéger un ou une partenaire qu'un baiser sur la bouche effaroucherait : tourner son visage vers sa « victime » en présentant la joue et en pointant du doigt l'endroit où devrait se déposer le baiser. S'éloigner légèrement, le temps que l'autre approche ses lèvres, et au dernier moment lui faire face pour un délicieux bouche contre bouche.

• Les comédiens qui semblent s'embrasser avec fougue à

l'écran ou sur scène s'embrassent la plupart du temps sur le menton ou sous le nez et cachent le subterfuge par un renversement de tête et une dissimulation de la main ! Quelquefois aussi, lorsqu'ils sont en conflit avec leur partenaire, ils frottent leurs dents avec un peu d'ail !

• Si les joueurs sont nombreux, on peut multiplier les tapis. Et l'on prendra soin de choisir de jolies petites descentes de lit, plutôt que des serpillières ou des serviettes de toilette (!), comme on le voit parfois.

Le chef d'orchestre

Des danseurs sur la piste
Un meneur

But

Deviner, parmi les joueurs, lequel fait mine de diriger l'orchestre.

Déroulement

• Qui n'a jamais joué au chef d'orchestre ? Cet amusement que les enfants adorent pourra donner du tonus à votre soirée.

• Si vous avez bien observé les invités lorsque le père de la mariée a lancé le bal en dansant une belle valse avec sa fille, il y a certainement une ou deux personnes qui se sont prises spontanément pour un grand chef d'orchestre. C'est le moment d'inviter l'un d'eux à reprendre sa gestuelle au milieu des autres danseurs.

• Vous avez pour cela sélectionné une musique pompeuse (voir page 233).

• Demandez à une personne de sortir quelques instants, désignez le chef d'orchestre.

• La personne sortie revient au centre et tente de déterminer qui se prend pour Herbert von Karayan ou Berlioz.

Variantes

• Maintenant que chacun s'est bien remémoré le jeu, vous pouvez amener d'autres variantes, qui ont toujours le même objectif : faire participer, ne serait-ce qu'une seule fois dans la soirée, chacun des invités.

• Choisissez un air que tout le monde peut chanter en chœur. Le chef d'orchestre bat la mesure et les autres participants font les choristes en se tenant la main et en tournant. Lorsque, d'un signe de la main, le chef d'orchestre indique un chiffre 2, 3, 4 ou 5, les joueurs doivent se regrouper en petits groupes correspondant au chiffre indiqué. De nouveaux petits groupes se sont formés, à vous de lancer une nouvelle danse.

Les doigts dans le nez

Des danseurs sur la piste
Un meneur

But

Répéter une formule sans se tromper, tout en dansant.

Déroulement

• Il y aura certainement un moment où quelques danseurs s'essayeront à des danses collectives en se tenant par les épaules à grand renfort d'effets de jambes. Comme le jeu est très vite épuisant, on peut l'agrémenter d'une difficulté supplémentaire.

• Les joueurs sont donc en cercle en se tenant par les épaules. Un déplacement facile est proposé sur une musique dynamique. Le meneur propose alors de répéter une formule ; celui qui se trompe doit recommencer avec un geste parasite : les doigts dans le nez, les mains sur la tête, etc.

Exemples

• Voici quelques phrases que l'on aura plaisir à faire prononcer. Ces phrases aux anodines apparences sont des contrepèteries qui feront apparaître des formules plus lestes ! Rappelons que tout l'art du contrepet consiste à l'interversion de lettres ou de syllabes dans un mot ou un groupe de mots, de manière à produire un effet amusant, et la plupart du temps une grivoiserie.

- Entre adultes :
  * Six fûts six caisses, une main dans le fût, une autre dans les caisses.
  * Méfiez-vous des dons coûteux.
  * Le jeune homme veut dîner en pensant.
  * Il faut bien que le bouquin rende !
  * Quelle bouille !
  * Arrêtez de nous brouiller l'écoute !
  * Ne mélangez pas la cuvette et le bouillon.
- Pour toutes les oreilles :
  * Trompez, sonnettes !
  * Il ne faut pas glisser dans la piscine !
  * Les pies n'ont pas de mains.
  * Le rat boit la crème.
  * Voici la maison, j'entends la voiture.

Remarques

Pour tous ceux qui s'inquiéteraient d'entendre raconter des histoires trop lestes devant les enfants : on peut se trouver devant deux cas. Soit ils ne comprennent rien et il n'y aura aucune gravité. Soit ils sont déjà au courant, et c'est alors trop tard ! Cela dit, il n'est pas défendu de dire, sans passer pour un rabat-joie, que certains propos orduriers sont à la rigueur supportables s'il y a vraiment du second degré.

Les proverbes

Des invités un peu fatigués
Un meneur

But
Répéter les deux mêmes formules au milieu et à la fin de chaque proverbe énoncé.

Déroulement
• Reconnaissons-le au moins une fois dans ce livre, il est difficile de proposer un jeu plus crétin ! Mais, bon…
• Le meneur annonce lentement un proverbe, en n'en disant que la moitié : *Dis-moi qui tu hantes…* Et les autres joueurs doivent le terminer.
• Il y aura certainement quelqu'un qui trouvera la bonne fin : *… et je te dirai qui tu es.*
« C'est bien, je vois que vous avez compris. Qui veut essayer maintenant ? Philippe ? O.K., tu nous donnes la première partie du proverbe et nous, on essaye de trouver la suite.
— Entre l'arbre et l'écorce…
— Les souris dansent !
— Mais, c'est idiot !
— Pas tant que ça, et après ça va être encore pire ! »
• Vous laissez le jeu se dérouler et les proverbes se mélanger. Les résultats sont souvent assez cocasses !

Exemples
Rien ne vous empêche de préparer des panneaux avec les moitiés de proverbes écrits. On joue alors en deux groupes en demandant de reconstituer le plus rapidement le maximum de proverbes mélangés. Le sens doit fonctionner :
— Dis-moi qui tu hantes, vaut mieux que ceinture dorée.
— Entre l'arbre et l'écorce, les souris dansent.
— Les jours se suivent, les borgnes sont rois.
— Au royaume des aveugles, récolte la tempête.
— Bonne renommée, peut le moins.
— Le chat parti, ne fait pas le printemps.
— Comme on fait son lit, font les grandes rivières.
— Œil pour œil, il ne faut pas mettre le doigt.
— On ne fait pas d'omelette, je te dirai qui tu es.
— Petit à petit, à qui sait attendre.

— Les petits ruisseaux, ne se ressemblent pas.
— Pierre qui roule, sans casser des œufs.
— Qui peut le plus, n'amasse pas mousse.
— Qui sème le vent, s'y pique.
— Qui s'y frotte, dent pour dent.
— Tant va la cruche à l'eau, l'oiseau fait son nid.
— Tout vient à point, qu'à la fin, elle se casse.
— Une hirondelle, on se couche.

Variante

« Mais il n'est pas si crétin que ça, ce jeu-là !
— Non, c'est maintenant que ça vient. Chacun s'amuse avec beaucoup de sérieux à reconstituer les proverbes ; il est temps de demander à quelqu'un de les annoncer distinctement. Claire, tu commences, en marquant bien un temps d'arrêt au milieu du proverbe.
— L'avenir appartient…
— Dans la culotte !
— ? … à ceux qui se lèvent tôt…
— Entre les cuisses ! »

Et le jeu de continuer, car *À l'impossible* (dans la culotte), *nul n'est tenu* (entre les cuisses), même si *Un tien* (dans la culotte) *n'est jamais tenu* (entre les cuisses).
« C'est vrai que c'est crétin, mais c'est drôle ! »

Remarque

C'est comme les « Poil au… », au début c'est bien vu (poil au…) et puis après on bafouille (…), on s'embrouille, on tripatouille, on fait l'andouille, tout se précipite, on ne va pas assez vite et le jeu part en…
Donc, pour ce jeu comme pour tous les autres, prenez le principe de l'arrêter quand il marche bien.

Les chaises musicales

Des invités
Un meneur
Autant de chaises que de joueurs

But
Tourner autour de chaises au son de la musique et tenter de s'asseoir quand celle-ci s'arrête.

Déroulement
• Disposez en ligne, dos à dos, autant de chaises qu'il y a de joueurs, moins une.
• Les joueurs marchent en file indienne autour des chaises au son de la musique. Ils ne doivent ni se toucher ni même se frôler.
• Dès que vous arrêtez la musique, chacun doit se précipiter et tenter de s'asseoir sur l'une des chaises.
• Celui ou celle qui n'a pas réussi à s'asseoir est éliminé et l'on retire une chaise afin qu'il en manque toujours une.
• Le jeu se poursuit jusqu'à ce qu'il n'y ait plus qu'un seul joueur tout seul sur sa chaise.

Variantes
• Le jeu se déroule dans la pénombre et il s'agit de s'asseoir en priorité sur les genoux d'un autre joueur.
• Les autres des convives peuvent faire la musique en interprétant une chanson connue de tous (voir celles qui sont citées tout au long de ces pages) et s'arrêtent sur les indications du meneur.

Remarque
• Voici un jeu qui dégénère très vite si l'on n'y prend garde ; on se méfiera donc de l'excitation qui risque d'entraîner des accidents. La solidité et la stabilité du mobilier sont également importantes, on préférera carrément les tabourets aux chaises pliantes.

Quelle famille ?

À partir d'une vingtaine de joueurs venant des deux familles des mariés
Un meneur

But

Faire changer les joueurs de place.

Déroulement

• Les jeux et les danses ont été particulièrement énergiques, résultat : les invités commencent à s'affaler sur les chaises en bord de piste... Et la pièce montée n'est pas encore prête ! Voici donc un jeu pour redonner un peu de tonus à tout le monde.
• Les joueurs sont assis en cercle.
• Éloignez les chaises restées vides et faites reformer le cercle. Vous voilà au centre, et seul sans assise (ce n'est pas le moment d'appeler au secours saint François... d'Assise !).
• Énoncez le prénom de la mariée ou du marié. Tous ceux qui font partie de sa famille doivent changer de place en traversant le cercle.

Variantes

On peut trouver d'autres critères.
• Les générations : « Quand vous vous êtes mariés, il y avait dans la salle de la mairie le portrait officiel du président de la République en cours de mandat. Réfléchissez bien, tous ceux qui se sont mariés sous l'œil de Charles de Gaulle changent de place... » On sera étonné de savoir qui s'est marié sous Vincent Auriol (1947-1954), René Coty (1954-1958), Charles de Gaulle (1958-1969), Georges Pompidou (1969-1974), Alain Poher (président par intérim en 1974), Valéry Giscard d'Estaing (1974-1981), François Mitterrand (1981-1995) ou Jacques Chirac (1995).
• Mais aussi les régions d'origine, le nombre d'enfants, le nombre de petits-enfants (pour tous ces critères, on pren-

dra soin de se renseigner auprès des mariés pour mettre à jour les points qui n'amèneront que le sourire. Il serait indélicat de parler de religion, de politique, si ce sont des sujets de conflits.

• Des critères musicaux : tous ceux qui aiment le jazz, le rock, le tango, la lambada... Et c'est alors le moment de dire : « Ah ! vous aimez la lambada, eh bien on va s'en faire une petite dernière », et la danse repart de plus belle !

Assieds-toi sur moi

Une dizaine de joueurs minimum
Un meneur

But

Former un cercle en s'asseyant sur les genoux de son voisin.

Déroulement

• Voici un jeu qui demande un bel esprit d'équipe.

• Pour éviter les risques de chute, on demandera à celles qui portent des talons hauts de les ôter le temps du jeu. De la même manière, il est plus facile de réussir avec des personnes de taille et de corpulence relativement égales.

• Les joueurs se placent en file indienne et font face au centre. Puis, chacun pivote d'un quart de tour, à droite ou à gauche, selon l'ordre donné, de façon à se retrouver dos à ventre avec ses voisins immédiats.

• Chaque joueur pose les mains sur la taille du joueur de devant et fait en sorte de ne pas se retrouver trop près ou trop loin de celui-ci.

• Le meneur annonce alors : « Asseyez-vous sur vous ! » Chacun va alors essayer de s'asseoir sur le joueur de derrière, doucement et calmement, en se laissant guider par celui-ci, tout en essayant de maintenir les genoux serrés pour accueillir le joueur de devant.

• Il faut mener ce jeu avec calme, mais, au bout de deux

essais, on arrive assez facilement à faire un cercle complet. L'impression est superbe !

Raaaah, lovely !

Des couples de danseurs
Un meneur

But
Mimer et inventer de nouvelles positions amoureuses.

Déroulement
• La danse en couple est le début de la parade nuptiale que l'on retrouve chez toutes les espèces, les êtres humains y compris. C'est le moment de s'amuser à mimer de nouvelles positions pour un Kama Sutra inédit. Avec les couples volontaires, cela s'entend ! « Vous n'avez pas entendu, ce n'est pas grave, tout le monde sait que ça rend sourd ! »
• À vous de faire travailler votre imagination. La liste des nouvelles positions pourra être préparée en petit groupe, sur le coin d'une table, une suggestion en appelle une autre. Il restera ensuite aux couples de danseurs de trouver la position et les gestes qui correspondent le mieux au titre annoncé.
• La musique bat son plein, les couples dansent langoureusement. Et lorsque la musique s'arrête les couples doivent mimer la figure annoncée.

Exemples
• C'est dans le domaine du cinéma qu'il est le plus facile de trouver des titres comme *Le pont de la rivière Kwaï*, *Titanic*, *Les ailes du désir*, *Le grand escogriffe*, *La vache et le prisonnier*, *L'ours et la poupée*, *Jules et Jim*, *Mission impossible*…
• Mais faites confiance à vos invités ! Marc et Olivier ont bien inventé, pour l'un de ces jeux, les figures suivantes : l'hélicoptère à rotation double, le tourniquet farceur, la brouette mongole, le sifflet à roulette ou la panoplie du percepteur ! On est bien loin de l'ouvrage technique-philosophique-

érotique indien de la fin du IVe siècle et bien plus proche de l'expression qui donne le titre de ce jeu et que Marcel Gotlib emprunta à Hitchcock !

Remarques
• Ce jeu peut être complété par la constitution d'un jury qui fonctionnera comme celui des compétitions de patinage artistique. Ce sera l'occasion pour le meneur de préciser : « Je ne prendrai pas position, mais j'affirme que l'on ne patine pas avec l'amour ! »
• Comme beaucoup de jeux de mariage très anciens, celui-ci est en fait une allusion à la nuit de noces que devraient passer les jeunes époux après cette soirée. Mais de nos jours, les choses ont bien changé et la première rencontre physique entre les époux a souvent eu lieu avant le jour de la noce, et si ce n'est pas le cas, les mariés sont bien trop fatigués pour se livrer la nuit même à de belles galipettes. Néanmoins, on trouve encore dans certaines régions les rites qui consistent à soi-disant surprendre les jeunes tourtereaux dans leur lit de noces. C'est en fait un lieu factice, aménagé pour l'occasion, où débarquent les copains des mariés qui suspendent des objets bruyants aux sommiers, ou leur proposent de déguster une étrange mixture déposée dans un pot de chambre et composée de chocolat, de champagne et de biscuit légèrement fondu.

Bon prince !

Une vingtaine de joueurs des deux sexes
Un meneur

But
Tenter, pour chaque garçon, de deviner quelle femme l'a choisi.

Déroulement

• Maintenant que l'ambiance est assurée, que les garçons comme les filles ont lié connaissance, voici un jeu qui mettra un peu de piment dans la soirée.

• Le groupe des filles qui veulent participer au jeu est rassemblé d'un côté de la piste, les garçons qui se prêtent à ce délicat supplice attendent patiemment de l'autre côté.

• Les filles discutent entre elles. Chacune doit choisir sur quel garçon présent elle souhaite porter tout son amour… Le temps d'un petit pas de danse, ou plus ! Bien sûr, les garçons ne doivent rien entendre de leurs négociations, mais chacune doit avoir choisi un cavalier différent.

• Les deux groupes se retrouvent face à face, éloignés de quelques mètres. Un premier garçon s'approche en direction de la fille par laquelle il pense avoir été choisi en disant : « Si vous le voulez, je serai votre Prince ! »

• Si son choix correspond à celui de la fille à qui il s'est adressé, elle l'embrasse !

• Si son choix ne correspond pas, il accepte, bon prince, un soufflet !

• Le jeu continue, chaque garçon venant se présenter l'un après l'autre à celle qu'il estime comme sa princesse.

Remarques

• Pour que le jeu reste sympathique, le petit cérémonial est important. De même, il faut laisser du temps aux filles pour négocier entre elles. Quant au soufflet (ce coup du plat ou du revers de la main appliqué sur la joue, dont parle le dictionnaire), c'est à chacun de savoir le gérer, et de s'en expliquer ensuite individuellement.

• Bien présenter ce petit jeu fait mentir le dicton : Soufflet n'est pas jouet !

Les cruches musicales

Des couples de danseurs
Un meneur

But
Ne pas se retrouver sans cavalier.

Déroulement
• Puisque les garçons ont été bons princes en prenant le risque de ne pas être aimés par l'objet de leur désir, voici, pour détendre l'atmosphère, un jeu où les filles vont jouer aux cruches !
• Les joueuses se mettent en file indienne. Elles représentent les cruches. Elles n'ont qu'une anse figurée par un bras replié, main sur la hanche. Les anses sont alternées d'une joueuse à l'autre.
• Les joueurs vont tourner autour de la file en chantant, ou au son de la musique.
• Au signal du meneur, le chant s'arrête et les garçons saisissent chacun une cruche par le bras. Il est interdit de rester sur place et de reculer. Finalement, la plus cruche, c'est celle qui reste !

Pour rigoler ensemble

Il n'existe pas de bonnes fêtes sans des moments de franche rigolade. C'est l'occasion de proposer de petits jeux qui se passent de génération en génération, et d'en proposer de nouveaux.

Même si la fête a toujours un côté exutoire, on veillera à rester dans le raisonnable, à toujours garder du recul par rapport à la situation, d'une part pour éviter tout accident, et d'autre part pour prévenir une situation qui pourrait mal tourner et laisser un mauvais goût dans la bouche de certains. Une fois ces précautions prises, on ne peut que vous souhaiter de tout mettre en place pour que la soirée résonne en cascades de rires.

Le nœud géant

Entre 6 et 10 personnes
Un meneur

But

Former et défaire un nœud humain.

Déroulement

• Les différents danseurs ont eu l'occasion, au cours de la soirée, de jouer de leurs mains pour s'enlacer tendrement ou se lancer dans des rocks sportifs. Cette fois, c'est vraiment le corps tout entier qui va être mis à contribution.
• Au départ, les joueurs forment un cercle étroit, bras tendus vers le centre. Demandez alors le plus profond silence aux joueurs comme aux spectateurs.
• « Voilà, ne bougez plus, fermez les yeux, vous ne risquez rien. Écoutez-moi bien, je vais vous expliquer ce que vous allez faire, et ensuite vous le ferez doucement à votre propre rythme. Vous gardez les yeux fermés, les bras tendus et à mon signal, vous attrapez deux autres mains, l'une de la main droite et l'autre de la main gauche. Vous ne devez pas prendre la main de votre voisin, ni vous saisir des deux mains d'une même personne. Vous allez vous apercevoir que l'on s'en rend tout à fait compte au toucher. Et quand vous tenez une main à gauche et une autre à droite, vous pouvez ouvrir les yeux. Ne lâchez pas ! »
• En suivant votre consigne, les joueurs forment un étrange nœud.
• C'est à eux maintenant de négocier entre eux pour reformer un cercle sans se lâcher les mains et en passant par-dessus les bras, en s'enjambant. Si, si, on y arrive !
• Et c'est surtout très drôle autant pour ceux qui se dénouent que pour ceux qui regardent.

Remarques

• Le jeu peut se dérouler simultanément avec plusieurs petits groupes, et le meneur se fait aider pour donner des conseils aux joueurs qui cherchent à se démêler.

Variante

• C'est bien joli d'être toujours le meneur qui fait faire aux autres ; pour ce jeu, vous allez mouiller votre chemise comme tout le monde.

• Formez un cercle avec les autres joueurs, en vous tenant par les mains. Puis tentez de réaliser progressivement un nœud géant en vous enjambant mutuellement les bras ou en passant par-dessous.

• Continuez à vous enrouler les uns autour des autres jusqu'à ce que plus personne ne puisse bouger.

• Et maintenant, essayez de faire le trajet en sens inverse, le dénouement est proche ! Il sera plus évident à condition que personne ne lâche les mains !

Trio

Un nombre de joueurs multiple de trois
Un meneur

But

Marcher à contresens, encadré par deux autres joueurs.

Déroulement

• Maintenant que tous les joueurs se sont emmêlé les pinceaux en se tordant dans tous les sens et pas uniquement de rire, voici un petit jeu pour les détendre.

• Les volontaires se mettent par trois côte à côte, les deux de l'extérieur dans le sens opposé à celui du milieu. Les trois membres de chaque trio se tiennent solidement par le bras.

• Une musique martiale est lancée et les joueurs doivent traverser la salle à grandes enjambées, dans un sens et puis dans l'autre ! Evidemment, les joueurs latéraux voient où ils se dirigent, mais pas le joueur central !

Remarques
On comprendra vite que les joueurs d'un même trio doivent être de taille et de force semblables !

Roméo et Juliette

Deux joueurs
Un meneur
Deux foulards

But
Roméo, les yeux bandés, doit retrouver Juliette qui a les pieds liés.

Déroulement
• En cette soirée, qui célèbre l'amour, comment ne pas faire appel au duo célèbre de Shakespeare ? Mais cette fois, pas question de reconstituer la querelle entre les familles Montaigu et Capulet (quoique !), l'histoire sera bien plus drôle. Et chacun pourra s'extasier devant Roméo, amoureux comme dans la légende, cherchant à rejoindre sa coquette Juliette qui répond mais s'esquive.
• « Tiens, Christophe, te voilà Montaigu. Tu vas jouer le rôle de Roméo. Je vais demander que l'on te bande les yeux. Et toi, Ghislaine, te voilà Capulet. Tu sera la mignonnette Juliette, le temps que l'on immobilise tes chevilles par un foulard attaché. »
• Christophe-Roméo et Ghislaine-Juliette sont accompagnés au centre de la piste de danse. « Le jeu commence, Roméo appelle : "Juliette" qui doit répondre : "Roméo" puis tenter de faire trois sauts à pieds joints et s'immobiliser. On y va, les amoureux ! »
• Ce qui est drôle, c'est que Roméo essaie d'attraper Juliette et que celle-ci évite de se faire prendre.

Remarques
Les spectateurs doivent faire silence lorsque Juliette et Roméo s'interpellent.

Variante
On peut également décider de bander les yeux de Juliette plutôt que de lui attacher les chevilles. Mais le principe est le même : Roméo cherche à toucher Juliette qui s'échappe.

Couple confiant

Quatre ou cinq couples de joueurs
Un meneur
Un foulard par couple

But
Indiquer le chemin à son compagnon aveugle.

Déroulement
• Maintenant que la plupart des invités se sont amusés des malheurs de Roméo et Juliette, voici un autre jeu où plusieurs couples vont se retrouver au centre de la piste.
• Les joueurs sont par couples, pas forcément un homme et une femme. Ils jouent le rôle de l'aveugle et de son guide.
• Chaque guide se charge de bander les yeux de son complice, puis l'abandonne au milieu de la piste.
• Chaque guide monte debout sur une chaise et dirige son aveugle à distance, vers une direction définie au départ : une personne précise à rejoindre à l'autre bout de la salle, par exemple.
• Chaque fois qu'un aveugle entre en collision avec un autre aveugle, il est éliminé. Il est évident que les guides doivent négocier entre eux et que les indications doivent être très précises : « Tu fais deux petits pas vers la gauche… Maintenant tu te tournes légèrement vers la droite. »

Les deux voleurs

Deux joueurs
Un meneur
Deux foulards
Sept chaises ou tabourets
Sept assiettes avec une part de gâteau

But
Ramasser le maximum de parts de gâteaux posés dans une assiette, sur des chaises.

Déroulement
• Les choux qui composent la pièce montée, les morceaux de caramel, les fleurs en dragées ou les roses en pâte d'amande vont permettre de proposer un nouveau jeu aveugle pour les gourmands.
• Le meneur dispose sur la piste sept chaises bien séparées les unes des autres. Puis il dispose sur chacune une assiette avec, au centre, un échantillon des gourmandises citées.
• Deux invités volontaires vont être les voleurs, chacun étant en concurrence avec l'autre.
• Les voleurs gourmands partent à la chasse aux aliments disposés sur les chaises. Lorsque l'un d'entre eux rencontre une chaise, il prend l'assiette et son contenu. Mais s'il tombe sur une chaise déjà visitée par l'autre aveugle, il dépose son chargement et repart à la chasse.
• Le premier qui a récupéré quatre assiettes et leur contenu a gagné. Il peut s'asseoir et déguster son butin.

Remarques
Si l'on joue la sécurité, on prend des assiettes en carton. Si l'on joue la stabilité, de vraies assiettes.

Les jambes qui dépassent

Plusieurs couples déjà mariés
Un meneur
Un foulard par couple

But

Reconnaître aveuglément son compagnon en lui palpant les mollets.

Déroulement

• On dit que « L'amour est aveugle… » et que « La chair est faible », ce jeu va peut-être nous le prouver.
• Annoncez le jeu : « Il me faudrait, pour ce jeu, quatre ou cinq couples qui se connaissent bien. Qui ont déjà vécu ensemble plusieurs saisons des amours. Nous allons ensemble faire profiter nos jeunes mariés de nos expériences conjugales… En tout bien, tout honneur ! »
• Les dames attendent quelques instants le dos tourné. Leurs compagnons montent debout sur un banc ou sur une table basse. Et remontent le bas de leur pantalon pour montrer au public admiratif leurs magnifiques mollets.
• « Je vais maintenant demander à deux ou trois personnes de venir m'aider à bander les yeux de ces dames. Mais non, Messieurs, j'ai parlé de bander… les yeux de vos compagnes, vous avez vraiment l'esprit mal placé ! »
• Les dames viennent en direction de la rangée de mâles et tentent de les reconnaître uniquement en leur palpant le mollet.

Variante

• Très amusant, ce petit jeu n'est pas aussi facile qu'il y paraît. On peut varier le plaisir en intervertissant les rôles : cette fois, les hommes doivent reconnaître leurs compagnes, uniquement au toucher et les yeux bandés, en caressant leurs épaules. Ces dames sont assises et ces messieurs debout.

Remarques

• Il n'est pas toujours agréable d'avoir les yeux bandés ; souvent le foulard glisse ou serre trop fort. On peut utiliser deux systèmes plus efficaces :

— soit des masques neutres en plastique blanc dont on a découpé l'espace correspondant au nez et à la bouche ;

— soit des bandeaux serre-tête de petite taille que l'on fait glisser sur les yeux.

Colin-maillard

Une quinzaine de joueurs
Un meneur
Un foulard

But

Chercher à attraper d'autres joueurs en ayant les yeux bandés et les identifier au toucher.

Remarques

• L'un des objectifs de ce livre est bien de vous montrer que de nombreux jeux de votre enfance peuvent être joués avec beaucoup de bonheur entre adultes. Et ceci d'autant plus, dans le cadre d'un mariage, lorsqu'ils sont spectaculaires.

• Colin-maillard ne date pas d'hier puisque les Grecs y jouaient déjà et que les Romains l'appelaient la mouche d'airain.

• Quant à l'origine du nom, vous pourrez lancer le débat aux deux intellectuels du fond de la salle qui pourront longuement débattre sur les deux origines supposées. La première hypothèse rapporte l'aventure d'un chevalier liégeois, du nom de Colin et surnommé Maillard à cause de son habileté à manier le maillet, qui fut frappé en plein visage et rendu aveugle au cours d'un combat. La seconde raconte que Charles VIII avait pour confesseur un cordelier, le père Maillard, qui reprochait au roi ses conduites amoureuses. L'une des favorites décida un soir de se moquer de ce moralisateur en lui bandant les yeux et en le dirigeant au sobriquet de « Colin, Colin ». Le colin étant celui qui s'y colle.

Déroulement

- L'origine de ce jeu pourrait être l'occasion d'un autre jeu plus cérébral, mais revenons à nos yeux bandés.
- Faites tourner sur lui-même le joueur aux yeux bandés, suffisamment pour qu'il perde le sens de l'orientation, mais pas férocement, sous peine de voir défiler le menu du repas à l'envers.
- Les autres joueurs le provoquent de la main ou de la voix. Chaque fois que Colin s'approche d'un obstacle dangereux, le public crie : « casse-cou ».
- Chaque fois que Colin se saisit d'un joueur, il doit l'identifier uniquement par le toucher. Et il aurait bien tort de s'en priver !

Le nœud des amoureux

Deux ou trois couples
Un meneur
Deux bandes de tissu d'un mètre de long par couple

But

Chaque couple se défait du nœud qui les retient.

Déroulement

- Demandez au couple de se mettre face à face. Annoncez que vous allez les unir par les liens du mariage.
- « Et maintenant, je vais demander parmi le public ému deux personnes pour m'aider dans l'union de ces couples courageux. » En disant cela d'une voix solennelle, vous expliquez ce que vous faites à Monsieur et demandez à vos acolytes de faire de même avec l'élément masculin de chaque couple : « Voilà, j'attache les deux poignets de Monsieur à chaque extrémité de cette bande de tissu. Les nœuds doivent être serrés, mais sans blesser ! »

• Demandez ensuite à ces messieurs de lever leurs bras attachés à la manière d'un José Bové triomphant.
• « Très bien, nous allons faire de même pour ces dames. Mais attention ! Je commence par un poignet, et avant de nouer l'autre, je croise cette nouvelle bande de tissu avec celle de son compagnon. »
• Vérifiez bien l'attache, en demandant au couple de se reculer un peu. Puis annoncez : « Puisque vous voilà réunis à nouveau, pour tester votre liberté personnelle à l'intérieur de chacun de vos couples, je vais vous demander de vous libérer, sans défaire les nœuds, ni couper les bandes de tissu ou les faire glisser du poignet. Allons-y ! »
• Vous allez très vite admirer chacun des couples prenant les poses les plus acrobatiques, en essayant de se baisser, de se chevaucher ou de se tourner le dos pour tenter de se défaire. N'hésitez pas à commenter l'exercice physique par des « Je vois finalement que Monsieur est très attaché à Madame » ou par « Tiens, une nouvelle position du Kama Sutra que je ne connaissais pas ! ». Si personne ne trouve la solution, vous pourrez la proposer, en ayant pris le soin, pendant la présentation du jeu, de vous lier vous-même à un(e) complice.
• Madame et Monsieur se font face. Ils tiennent leurs bras légèrement écartés devant eux. Monsieur prend le bout de tissu de Madame par son milieu, puis le fait passer dans une boucle entourant l'un de ses propres poignets. Attention à ne pas s'emmêler ! Puis Monsieur tire cette bande de tissu à travers la boucle et la fait passer par-dessus sa main… Et ça marche ! Il ne reste plus à Monsieur et Madame qu'à se défaire mutuellement de leur bande de tissu.

Remarques

• Voici typiquement le jeu qu'il faut tester avant de le proposer. En suivant scrupuleusement nos explications, cela devrait marcher.
• Vous pouvez également utiliser une cordelette de nylon vendue dans les magasins de sport au rayon montagne.
• Une bande de tulle peut également faire l'affaire.

Relais ping-pong

Une vingtaine de joueurs alternant hommes et femmes
Un meneur
Une balle de ping-pong

But

Faire passer une balle à travers ses vêtements avant de la passer à son voisin ou à sa voisine.

Déroulement

• Parmi tous les jeux de mariage habituels, tous ceux qui fonctionnent sur le principe du relais sont les plus drôles. Le premier que nous proposons ici a comme simple accessoire une balle de ping-pong.

• Demandez aux joueurs de se mettre en ligne face aux autres invités en alternant hommes et femmes. « Imaginez un instant, Mesdames et Messieurs, que par un tour de passe-passe, je vous aie soudain transformés en balles de ping-pong ! Oui, vous Monsieur qui êtes particulièrement explorateur ou vous Madame qui avez déjà rêvé d'être une petite souris fouineuse. Eh bien, Mesdames et Messieurs, grâce à nos sympathiques joueurs qui ont accepté d'être visités par cette balle, nous allons voir ce que donne cette petite visite. Je commence, puis ma voisine fera de même avant de passer la balle de ping-pong à son voisin, etc. » Joignez les gestes à la parole.

• Il s'agit de faire passer la balle par la manche gauche, le pantalon gauche et de la faire remonter par le pantalon droit puis la manche droite. Pour ceux qui portent des robes, des jupes ou des kilts, le circuit est le même !

• Ce qui est drôle dans ce jeu est de voir comment chacun accomplit sa tâche, avec efficacité et discrétion ou avec de grands gestes et des petits gloussements. Certains vont jusqu'à demander de l'aide !

Remarques

• Pour que le jeu soit plus dynamique, on peut le lancer des deux côtés de la ligne de joueurs ; gare à celui qui se trouvera au croisement des deux !

• N'hésitez pas à conclure par un « Ah, si cette balle pouvait nous raconter ce qu'elle a vu ! » et concluez en offrant la balle à la personne qui a le plus ri dans le public en ajoutant : « Si le cœur vous en dit, n'hésitez pas ! »

Relais banane

Une vingtaine de joueurs
Un meneur
Une banane

But

Faire passer une banane à son voisin ou à sa voisine, sans les mains.

Déroulement

• Encore un jeu de relais qui vaudra surtout par l'humour et la dérision que les participants y mettront.

• Proposez aux joueurs de se mettre en ligne face aux autres invités, en alternant hommes et femmes. Il s'agit cette fois de passer une banane d'un joueur à l'autre en la tenant entre les cuisses ou les genoux, sans les mains ! Le plus simple est de leur demander de poser leurs mains sur la tête.

• On s'apercevra très vite, et pour certains peut-être un peu tard, qu'il est nécessaire de se serrer de très près pour réussir à se transmettre l'objet.

Variantes

• On peut remplacer la banane par un grand saucisson, plus facile à attraper sans l'écraser.

• D'autres l'ont essayé avec une bouteille en plastique remplie d'eau ! Dans ce cas, le meneur aura prévu des serviettes propres pour s'essuyer et un sèche-cheveux pour sécher le tout ! (Ça n'a l'air de rien, ces petites préparations, mais c'est ce qui fait la qualité de votre prestation ! Et les joueurs apprécieront.)

• Sur le même principe de transmission de fruits, on peut utiliser une pomme ou une orange que l'on se passe sans les mains mais au niveau du visage. Les plus audacieux tenteront de travailler simultanément avec les deux fruits.

Remarque

• Le public peut soutenir les joueurs en chantant le célèbre « Salade de fruits » de Bourvil.

La bouteille

Une vingtaine de joueurs
Un meneur
Une bouteille

But

Faire passer une bouteille à son voisin ou sa voisine, sans les mains.

Déroulement

• Voici un petit tour que l'on peut lancer au moment où on boit les dernières bouteilles de champagne. Saisissez-vous d'un magnum, d'un jéroboam, d'un réhoboam, d'un mathusalem, d'un salmanazar, d'un balthazar ou encore mieux d'un nabuchodonosor (le jeu « L'invité surprise », de la page 50, vous expliquera la différence si vous ne la connaissez pas !). Et demandez aux joueurs de se regrouper par couples.

• « Messieurs, je vais faire passer cette bouteille, hélas vide, et pour la remercier de nous avoir amené du pétillant à cette fête, je vous propose de lui porter un baiser. Mesdames, je vous demande d'être attentives… Embrassez la bouteille de champagne où bon vous semble, puis passez-la à votre voisin. »

• Une fois que la bouteille a fait le tour, annoncez que le lieu précis du baiser sur la silhouette de la bouteille correspond au corps de leur compagne qu'il va falloir ainsi embrasser.
• Ce que chacun s'applique à faire.

Variantes
Pour conclure avec humour ce petit jeu, le meneur peut annoncer une leçon de baisers : « Puisque nous sommes dans les baisers, permettez-moi de donner une petite leçon à tous les jeunes présents qui souhaitent bénéficier de l'expérience de leurs anciens et à tous les anciens qui ont besoin quelquefois de cours de rattrapage. Je vous donne le nom du baiser et sa localisation. Et chacun, chacune pourra le tester immédiatement. Sur le front, c'est "le Perdu" ; sur la main, "le Noble" ; derrière l'oreille, "l'Adieu" ; sur le bout du nez, "l'Envolé" ; sur le menton, "la Tentation" ; sur la poitrine, "le Goulu" ; sur le nombril, "la Supplication" ; sur les genoux, "le Refoulé" ; dans le dos, "le Traître" et pour finir, je vous donne le nom du dernier que vous porterez où bon vous semble : "le Coquin" ! »

De fil en fil

Une dizaine de joueurs
Un meneur
Du fil de pêche

But
Faire passer le fil d'un joueur à l'autre, à travers une pièce de son vêtement et…

Déroulement
• Tout l'intérêt de ce jeu tient dans la qualité de sa présentation ; il faut de réelles qualités de meneur pour amener peu à peu les joueurs à se dévoiler, à jouer le jeu. Le principe est que tout le monde rie de ce tour, et que personne ne s'en sente victime. C'est une qualité que l'expérience va vous

apprendre : bien sentir quel jeu on peut proposer et à qui. Cela dit, celui-ci n'est vraiment pas méchant.
• Le meneur sort de sa poche une bobine de fil de pêche et annonce qu'il va proposer un jeu simple comme un coup de fil ! Les joueurs se disposent en ligne ; il s'agit de faire passer un fil d'un joueur à l'autre en passant par une pièce de vêtement.
• Chacun choisit par quel trou, par quel tunnel il souhaite voir passer le fil. Certains proposeront l'un des trous de leur ceinture, d'autres de la manche jusqu'au col, l'ouverture de la chaussure, la bretelle de leur robe... Les prudents (ou méfiants) choisiront de faire glisser le fil sous le bracelet de leur montre, sous leur collier ou leur alliance.
• Pendant que le fil passe de l'un à l'autre, chacun rivalisant d'ingéniosité, maintenez l'attention, éludez les questions sur la suite : « Parfait, à Jack maintenant. Dans la boucle des chaussures, c'est parfait. Dans le nœud de la cravate, c'est encore mieux, Marie-Aude. Dans ta broche en strass, c'est parfait, Elvire. À ton tour, Jean-Hugues, mais trouve un endroit que personne n'a encore utilisé... »
• Maintenant que le fil est passé par tous les joueurs, demandez aux joueurs de former un cercle sans trop tirer sur le fil. Puis faites un nœud solide. Et demandez à chacun de se libérer du fil en ôtant le vêtement ou l'accessoire par lequel le fil est passé !

Remarques
• En plein été, au soleil, c'est un jeu idéal.
• En fonction des joueurs, vous aurez suffisamment de tact pour trouver un subterfuge s'ils risquent de se mettre en position difficile. Par exemple, si la tante Ginette se décide enfin à participer à vos bêtises du haut de ses 90 printemps, et ne trouve pas mieux que de faire passer le bout du fil dans la jambe de son pantalon ou sous la bretelle de son soutien-gorge : « Non, non, ma chère tante, le passage doit être rapide, votre bracelet fera tout à fait l'affaire ! » et passez rapidement au suivant !

Sel ou poivre

Autant de filles que de garçons
Un meneur
Des allumettes
Du sel et du poivre

But

Pour les filles, jouer un mauvais tour aux garçons !

Déroulement

• Certains jeux ressemblent un peu à des règlements de compte ; le premier principe est de savoir, dans le groupe des garçons et celui des filles, qui va attraper qui !

• Ces jeux sont courants dans les villages ou les régions où tout le monde se connaît. Les garçons et les filles se côtoient souvent depuis les bancs de la maternelle ; à l'adolescence, tout le monde surveille ce que fait l'autre, sous l'œil attentif des aînés, de surcroît ! Les mariages où tout le monde se retrouve sont l'occasion de ce petit tour, vu dans une noce en Haute-Maurienne.

• Les filles et le meneur sont dans le coup, pas le groupe des garçons ! Le meneur précise que chaque garçon va cacher une allumette sur lui, et donne « secrètement » le premier lieu : « dans la bouche ! »

• On propose aux filles de chercher dans quel endroit leur compagnon a caché l'allumette. Le meneur les aide par des indications : « Peut-être dans ses chaussures ? Dans ses poches ? Sous sa montre ? »

• Petit à petit, chaque fille cherche au même endroit sur chacun des garçons. Le meneur annonce : « Et sous le col de sa chemise ? » Les garçons penchent tous la tête en arrière, le temps que le meneur ajoute : « Et pourquoi pas dans la bouche ? » Les garçons ont à peine le temps de l'ouvrir que chaque fille en profite pour verser une pincée de sel ou de poivre qu'elle tenait cachée dans sa main !

La belle et le clochard

Les joueurs forment un cercle en alternant garçons et filles
Un spaghetti cru

But
Se passer un spaghetti cru de bouche en bouche.

Déroulement
Le jeu peut se dérouler assis autour de la table ou debout en cercle.
Les joueurs mettent les mains dans le dos ; il est maintenant trop tard pour changer de voisin ou de voisine !
La transmission de bouche à bouche peut commencer, lèvres en avant ou soigneusement écartées, c'est selon ! Les dents seules permettent de se saisir ou se dessaisir du spaghetti cru qui passe de l'un à l'autre.
Bien sûr, non seulement vous avez soigneusement choisi votre place, mais en plus (!), à chaque tour, d'un coup de dent vous raccourcissez le spaghetti.
Le jeu s'arrêtera de lui-même, faute de combattants et sur un délicieux bouche-à-bouche.

Remarques
- Vous pouvez remplacer le spaghetti cru par une allumette ou un cure-dents.
- Certains trouveront le jeu peu hygiénique, quand d'autres n'y verront qu'un moyen supplémentaire de rigoler et de s'embrasser. Ne forcez personne, et si la gêne s'installe entre deux partenaires, n'hésitez pas à demander au couple le plus à l'aise de faire seul le grand finale sous les applaudissements.

Un bonbon entre nous

Des joueurs en couple
Du fil et un bonbon par couple

But

Partager le même bonbon.

Déroulement

• On aurait tort de croire que seuls les enfants sont amateurs de bonbons ; les adultes aussi raffolent des bonbons surtout s'ils sont très sucrés et de toutes les couleurs. Qui n'aurait pas un jour vendu son âme au diable pour une poignée de fraises tagada ?

• On trouve facilement toutes ces confiseries sur les marchés, dans les grandes surfaces, mais également dans les entreprises de fournitures collectives et à prix concurrentiels. Ils seront l'occasion de sympathiques décorations sur les tables, ou sous la forme de mini-brochettes de quelques bonbons glissés sur un cure-dent légèrement huilé. Mais pour l'instant, ces bonbons vont être l'occasion d'un nouveau jeu de rencontre !

• Préparez pour chaque couple volontaire un mètre de fil avec un bonbon fixé par un nœud en son milieu.

• Demandez aux partenaires de se placer face à face, les mains dans le dos.

• Au signal, ils placent l'extrémité du fil entre leurs dents. Puis ils doivent le « grignoter » avec les dents pour atteindre ensemble et déguster ensemble le bonbon.

Variante

À la place du fil, peu digeste, et du bonbon, proposez un rouleau de réglisse complètement déroulé qu'il faut avaler jusqu'au baiser final. Comme le chantait Marina Vlady : « Car l'amour, c'est du sucre et du miel et de la réglisse… »

Course aux œufs

Une douzaine de joueurs répartis en deux équipes égales
Un meneur
Deux grandes cuillères à soupe
Deux œufs durs

But

Transporter d'un point à un autre un œuf dur dans le creux d'une cuillère dont on tient le manche entre les dents.

Déroulement

• Tous ceux qui ont un jour participé à une kermesse pour les bonnes œuvres de la paroisse ou à une fête de fin d'année scolaire ont vu ou participé à un relais d'œufs durs. C'est une idée de plus à reprendre pour la soirée d'un mariage. « Ah, oui, j'y jouais quand je faisais des kermesses pour l'aumônerie du lycée avec un gars que tout le monde appelait Castor ! Je ne sais pas trop dans quelle cambuse il se trouve maintenant, mais côté transport d'œuf dur à la cuillère à soupe, c'était un champion ! Tiens, je veux bien essayer ! »

• Comme tous les jeux de relais, il faut former deux équipes à nombre égal de participants. Les joueurs se mettent sur deux files parallèles, chacun à tour de rôle va se rendre à un point lointain puis revenir de la même façon en passant le relais au camarade suivant.

• Cette fois, le relais n'est pas le traditionnel bâton de bois, mais une cuillère à soupe dans laquelle on a déposé un œuf dur.

• Le joueur tient le manche entre ses dents. Le plus simple est de le tenir entre ses dents comme le tuyau d'une pipe, mais certains préfèrent le mettre dans l'autre sens (à l'image des méchants Bolcheviks qui tenaient ainsi leurs couteaux entre les dents !).

• Il est temps de déposer délicatement l'œuf dans le creux de la cuillère.

• Le signal de départ est donné : la course peut commencer.

Remarques

• Pour éviter les accidents qui pourraient survenir après une chute en avant, le meneur incitera chaque joueur à ne pas courir. Le premier objectif étant bien de ne pas faire tomber l'œuf du creux de la cuillère et ceci sans l'aide des mains.

• Est-il nécessaire de préciser qu'il est indispensable d'essayer ce jeu et de le tester sur la distance avant de le présenter ?
• On pourra jouer sur la surprise pour présenter ce relais : « Pour ce jeu, j'ai besoin d'une douzaine de personnes... qui n'ont pas peur d'avoir le mors aux dents ou pour tous ceux qui rongent encore leur frein de n'avoir pu participer au jeu précédent. Kamel et Vanessa, par exemple... Maintenant à vous de choisir, chacun à votre tour, cinq ou six joueurs qui vont faire partie de votre équipe. C'est fait ? Parfait. Mettez-vous sur deux lignes. Il va falloir rejoindre les deux chaises que j'ai mises au bout de la salle, sans courir, et revenir. »
• Puis vous ajoutez en faisant mine de récupérer deux grandes cuillères préalablement disposées sur la table la plus proche : « Mais comme c'est un peu trop facile, j'ajoute un handicap et vous propose de tenir cette cuillère par le manche... mais entre les dents ! »
• Les deux premiers joueurs sont prêts, ils commencent déjà à baver avec ce curieux instrument dans la bouche. Sortez négligemment les deux œufs durs de votre poche !
• On peut aussi remplacer les cuillères à soupe par de longues cuillères à confiture, et les œufs de poule par de petits œufs de caille. C'est moins lourd, mais pas forcément plus facile !
• Une fois le jeu bien lancé, rien ne vous empêche de remplacer subrepticement l'œuf dur par un frais. Et d'attendre...(Dans ce cas, ne le glissez pas dans la poche de votre pantalon, en vous tapant sur les cuisses !)

Trimballe-tout

Une douzaine de joueurs
Un meneur
Deux grandes valises de carton remplies de différents accessoires volumineux
Deux grandes épuisettes
Deux grands chapeaux de paille

Deux paires de lunettes de soleil
Quatre chaises

But

Se charger de tous les accessoires et se rendre d'un point à un autre.

Déroulement

• Depuis le temps qu'on en parle, il finira bien par avoir lieu, ce voyage de noces ! Ce jeu va permettre de tester les capacités de Monsieur à transporter en une seule fois tout ce que Madame lui demande d'emporter. Ou la réciproque !
• La valise avec ses accessoires, la grande épuisette, le chapeau de paille et la paire de lunettes sont déposés sur une chaise devant chaque file.
• Chaque joueur des deux équipes doit mettre le chapeau, fermer la valise, poser l'épuisette sur son dos, enfiler les lunettes et rejoindre le plus rapidement possible la chaise posée à l'autre bout de la salle.
• Arrivé à cette chaise, il faut se défaire du tout, que l'on dispose soigneusement sur la chaise. Puis l'on revient sans aucun des attributs.

Remarques

• Très rapidement, chacun des joueurs va progresser à sa propre vitesse, ce qui va l'obliger à regarder d'un côté et de l'autre pour voir ses concurrents. Cela rend immédiatement le jeu beaucoup plus dynamique pour les spectateurs.
• Il sera plaisant pour tout le monde de soigner la présentation des différents accessoires. Du matériel de récupération fera très bien l'affaire. On peut s'amuser à le peindre d'une seule et même couleur à l'aide d'une bombe à peinture (une couleur pour chaque équipe). La qualité de la présentation fait toujours beaucoup pour la réussite d'un jeu.

La momie

Deux couples volontaires
Une dizaine de rouleaux de papier-toilette
Un meneur

But
Transformer son compagnon en momie en l'entortillant avec du papier-toilette.

Déroulement
• « J'aimerais savoir qui, parmi vous, a vu au cinéma ou à la télévision un long métrage intitulé *La momie* ? Personne ? Ou quelqu'un qui aurait vu *Bande à part* de Jean-Luc Godard ? Non, Monsieur, ce n'est pas un film sur un homme seul ! Très bien, je vois que deux messieurs se portent volontaires. Merci. Pouvez-vous choisir chacun une compagne pour vous assister ? Merci, Mesdames, voici le jeu qui va nous permettre de voir qui de ces deux couples sera le premier au bout du rouleau, sans perdre le moral ! »
• Expliquez maintenant en sortant vos rouleaux de papier-toilette de quelle bande il s'agit, qu'un long métrage est indispensable et qu'il s'agit pour chaque compagne d'embobiner son partenaire de la tête aux pieds.
• Les deux hommes se mettent debout, les bras le long du corps, et la momification peut commencer. Mais attention, sans déchirer le papier, sans agrafes et sans colle ! Seuls les entortillements de papier sont autorisés.

Remarque
• Une musique entraînante comme « La danse du sabre » de Aram Khatchatourian ou « L'apprenti sorcier » de Paul Dukas donnera du tonus à l'exercice emballant.
• Nous proposons ici aux femmes le rôle d'embobineuses, mais les hommes pourraient également très bien tenir ce rôle de chef de la bande.

Statues

Deux ou trois couples volontaires
Un joueur « sculpteur »
Un meneur

But

Manipuler délicatement un couple pour lui faire prendre des positions précises.

Déroulement

• Pour ceux qui commenceraient à s'inquiéter à l'énoncé du but du jeu, précisons qu'il ne s'agit pas, cette fois, de retrouver d'étonnantes positions amoureuses (nous le proposons déjà à la page 116 !), mais de reconstituer des scènes de la vie courante d'un jeune couple. Quoique, si deux d'entre eux se sentent l'envie de reconstituer le fameux *Baiser* d'Auguste Rodin, qu'ils n'hésitent pas !

• Revenons à nos scènes de la vie conjugale ; ceux qui sont passés par là auront plaisir à donner des conseils pratiques. Et si les mariés sont d'accord pour participer, c'est encore mieux.

• Un joueur est le sculpteur, un ou plusieurs couples jouent aux modèles. Pour commencer, le sculpteur va leur proposer de mimer en couple une situation où l'amour peut avoir sa place.

• Chaque couple s'exécute, puis essaye de tenir la position comme si un rayon magique venait de les immobiliser.

• Le sculpteur s'approche de chacun et, sur les conseils éclairés du public, modifie lui-même la place d'un bras, d'une jambe ou d'une bouche.

• Le public vote à main levée pour la meilleure statue.

Exemples

Voici quelques situations pour commencer. Le public, ensuite, vous en proposera bien d'autres !

— Rendez-vous devant l'horloge.

— En vacances en gondole à Venise.
— Le premier baiser de la journée.
— La première danse du 14 juillet.
— À l'entrée du lit en plein hiver, en plein été.
— Tous les deux sous la tente.
— Le réveil du dimanche matin…
— Recommencer les mêmes situations après 10, 20, 30 ou 50 ans de mariage !

Remarques
• De la qualité du sculpteur viendra la qualité du jeu. Il peut être intéressant de le proposer sur une musique très calme, en baissant les lumières pour conserver une atmosphère un peu chaleureuse et intime. La bande originale du film *La leçon de piano* conviendrait tout à fait. Le meneur veillera, comme les spectateurs, à parler tout doucement. Effet garanti !

Ballon rasoir

Plusieurs couples de joueurs
Un meneur
Un sac de ballons
Un gonfleur
Des rasoirs jetables
Une bombe de crème à raser
Une chaise par couple
Du scotch

But
Raser un ballon de baudruche recouvert de mousse à raser à l'aide d'un jetable… sans le faire éclater, bien sûr !

Déroulement
• Pendant le jeu précédent, vous aurez demandé de l'aide à quelques personnes pour gonfler des ballons, les nouer et les accrocher avec un bout de scotch au dos d'une chaise.
• Disposez les chaises sur une rangée. Demandez à chaque

dame de s'asseoir, pour maintenir la chaise stable et encourager son partenaire.

• Confiez à chaque homme un rasoir jetable.

Prestement, recouvrez chaque moitié de ballon d'une épaisse couche de crème à raser.

• Donnez le signal de départ ; chaque homme va tenter de raser son ballon sans le faire éclater. Chacun garde une main dans le dos, ce sont les compagnes qui aident au maintien en place du ballon.

• Attention, le bout de scotch qui le fixe sur la chaise ne doit pas être détaché.

Remarques

• Ces fameux ballons que l'on gonfle de l'air de ses poumons ou d'hélium pour qu'ils s'envolent dans le ciel s'appellent en réalité des baudruches. On les fabriquait autrefois avec le gros intestin du bœuf ou du mouton. Mais depuis plusieurs années, le caoutchouc l'a remplacé. Et le terme baudruche ne s'adresse guère qu'à ceux qui nous gonflent de leur suffisance. Une petite pique suffit quelquefois à les faire manquer d'air !

• Par contre, gonfler plusieurs de ces ballons à la bouche relève de la prouesse ; le plus simple est de prévoir un gonfleur de matelas pneumatique avec l'embout qui convient.

• Cela peut être l'occasion d'un autre jeu : le joueur tient l'ouverture du ballon enfilée sur l'embout du gonfleur, et le remplit d'air uniquement par le mouvement de ses jambes, le gonfleur étant glissé entre son siège et son derrière. Et le plus drôle, c'est que l'exercice risque de le laisser à bout de souffle !

Ballon entre nous

Des joueurs par couples
Un meneur
Des ballons gonflables

But

Crever un ballon uniquement par les mouvements de son corps.

Déroulement

• On pourrait, pour ce jeu, n'utiliser que des préservatifs plutôt que des ballons, ce serait un moyen de banaliser cet accessoire indispensable à tous ceux qui souhaitent faire l'amour sans risques. Mais l'exercice se révélerait plus difficile tant ces protections de caoutchouc sont résistantes ! Et puis, cette autre utilisation risquerait de désinformer certains de leur bonne utilisation protectrice !

• « Pour ce jeu tendre et câlin, j'aurais besoin de couples de joueurs habitués aux coups de mains comme aux coups de reins. Tiens, Christiane et Philippe qui venez de nous montrer votre souplesse dans ces quelques rocks hardis, vous serez notre premier couple. Et je propose à Shérifa et Malik de venir vous rejoindre… » Comme toujours, c'est votre humour qui va donner le ton au jeu.

• « Au départ, ce n'est pas très difficile, et je pense que vous n'aurez rien contre… Serrez-vous bien l'un contre l'autre. Ne sont-ils pas mignons ? Et maintenant, je confie à chaque couple un ballon gonflé, qu'ils devront glisser entre eux. »

• Il s'agit à présent d'être le premier couple à le crever uniquement par les mouvements du corps, sans les mains et sans qu'il touche le sol.

Avant, après

Un joueur
Des spectateurs
Un meneur

But

Deviner ce qui a changé dans la mise de l'un des invités.

Déroulement

• Nous le savons tous, notre capacité d'observation est bien faible. Sommes-nous seulement capables de détailler intégralement les habits de la personne qui se trouve derrière nous ou qui vient de sortir de la pièce ? Pas si facile que ça, si l'on ne fait pas marcher volontairement sa mémoire.
Que dire alors des témoignages que demande la police dans le cas d'une affaire ?

• Le petit jeu, ici présenté, va nous permettre de constater nos capacités d'observation et de mémoire visuelle.

• Vous avez remarqué que la mère du marié a fait de beaux efforts de toilette ; c'est le moment de la faire venir au centre en lui tendant la main. Et pendant que vous la complimentez sur sa tenue à l'image de sa gentillesse et de l'énergie qu'elle a déployée pour la réussite de cette fête, elle se présente. Elle doit marcher doucement, se tourner pour se montrer sous toutes les coutures.

• Demandez-lui alors d'avoir la gentillesse de sortir quelques instants. Pour la remercier — un baisemain s'impose !

• Et lorsqu'elle revient dans la salle, sous un tonnerre d'applaudissements, elle aura apporté une légère modification à son aspect général, que les spectateurs devront trouver.

Exemples

Il faut bien sûr choisir des détails comme :

• Enlever son bracelet-montre ou changer son emplacement.

• Déplacer son alliance ou une bague.

• Déboutonner ou reboutonner sa manche, sa veste ou sa chemise.

• Changer la place ou le sens d'une broche.
• Nouer son nœud de cravate dans l'autre sens.
• Modifier légèrement sa coiffure par un coup de peigne ou le déplacement d'une barrette.
• Échanger ses lunettes avec une autre paire s'en rapprochant...

Variante
Faire le même jeu avec plusieurs personnes simultanément.

Remarques
• Il est possible de déstabiliser les autres joueurs, quand on est un homme, en défaisant les boutons de sa braguette et en attendant que quelqu'un ose le dire !
• On sera étonné de voir comme certaines personnes, les hommes surtout, sont incapables d'observer des changements évidents, comme une ceinture ou une veste retirée ! Et comme d'autres sont capables d'affirmer quelque chose qu'elles viennent d'inventer, votre femme surtout !

La pièce cachée

Un nombre indéterminé de joueurs
Un meneur
Une pièce de vingt centimes

But
Déterminer où le meneur vient de cacher une pièce de monnaie.

Déroulement
• Montrez à tous les joueurs une pièce de vingt centimes, puis annoncez que vous allez la dissimuler dans la petite salle d'à côté et qu'il s'agira de la retrouver.
• Par groupes de trois ou quatre, les joueurs vont faire le tour du couloir d'entrée ou des vestiaires où vous les attendez.
• Chacun doit trouver où se niche la pièce de monnaie sans rien déplacer.

• Celui qui a trouvé vient discrètement vous glisser dans le creux de l'oreille le lieu exact où se trouve l'objet.
• Et il sera bien observateur, celui qui découvrira que la pièce de monnaie est coincée à la verticale dans le pavillon de votre oreille !

Cendrillon

Une vingtaine de couples
Un meneur
Un grand panier

But
Chaque homme doit retrouver la bonne paire de chaussures convenant à sa partenaire.

Déroulement
• Tout le monde connaît l'histoire de Cendrillon, qui laisse passer l'heure fatidique de minuit et abandonne sa pantoufle. Le prince s'en empare et court tout le royaume pour trouver quelle belle femme peut avoir le pied si menu pour le glisser dans une si mignonne chaussure.
• Le meneur pourra rappeler dans sa présentation que la célèbre pantoufle n'a jamais été fabriquée dans la matière dont on fait les vitres. Il s'agit d'une pantoufle de vair, la fourrure du petit-gris, un écureuil de Sibérie au pelage d'hiver gris-argenté. Alors, plus question de la confondre maintenant avec les verres à pied !
• Mais revenons à notre jeu qui va nous permettre de tester si les hommes sont capables de reconnaître une femme à la taille et la beauté de sa chaussure. Certains se rappelleront avec émotion la bottine de Jeanne Moreau dans *Le journal d'une femme de chambre* de Luis Bunuel.
• Les hommes se retirent dans une pièce pendant que les femmes enlèvent leurs chaussures.
• Le meneur rassemble les chaussures dans un panier. Les

hommes peuvent alors revenir dans la salle, les femmes les attendent assises en ligne, jambes croisées.

- Chaque homme va tenter de trouver la chaussure qui correspond.
- L'exercice est bien plus difficile si l'on ne présente le jeu aux hommes que lorsqu'ils reviennent ; ils n'auront pas eu le temps de repérer les chaussures de leurs compagnes !

Un, deux, trois : soleil !

Une quinzaine de joueurs
Un meneur

But

Les joueurs doivent atteindre un mur en ne bougeant que lorsque le meneur a le dos tourné.

Déroulement

- Voilà un jeu qui sera très spectaculaire si l'on arrive à faire participer ensemble les invités de tout âge. Il peut se faire dedans comme dehors sur un large terrain devant un grand mur.
- Ce sera l'occasion de faire une photo inédite de Manou essayant vainement de rester immobile alors qu'elle est en équilibre instable sur ses hauts talons !
- Le meneur se place face au mur et tourne le dos à tous les autres participants qui sont regroupés derrière une ligne figurée par un fil posé sur le sol ou un trait de craie.
- Le meneur tape trois fois sur le mur en disant : « Un, deux, trois : soleil ! » et au mot : soleil, se retourne brusquement.
- Pendant ce temps, les autres joueurs doivent avancer sans que le meneur les voie bouger. Il faut donc s'immobiliser juste avant qu'il ne se retourne.
- Chaque fois que le meneur voit bouger un des joueurs, il doit le nommer et lui demander de retourner derrière la ligne de départ.

Le gagnant est celui qui vient le premier toucher le mur sur lequel frappe le meneur.
• Au meneur de surprendre les joueurs en changeant le rythme de ses paroles, particulièrement en accélérant les dernières syllabes.

Remarque
Il est très plaisant de voir ce jeu mené par un enfant.

Mère, veux-tu ?

Une dizaine de joueurs
Un meneur

But
Atteindre le premier le mur où la mère détermine le mode de déplacement de chaque joueur.

Déroulement
• En 1919, dans les Ardennes, les enfants jouaient déjà à ce jeu dans les cours de récréation. Certains de vos invités se souviendront sans doute de l'avoir pratiqué également, et n'en gardent pas forcément un bon souvenir. Pourquoi ? Parce que c'est le type de jeu « où ce sont toujours les mêmes qui gagnent ! ».
• La petite modification que nous lui apportons et l'esprit de concurrence et de rivalité que l'on ne retrouve dans aucun mariage (quoique !) vont nous permettre de le rendre sympathique.
• Soulignons que le principal intérêt de ce jeu, à l'image du précédent, est de donner l'occasion à diverses personnes de se retrouver ensemble dans un jeu collectif.
• Ce n'est pas de soleil qu'il s'agit cette fois puisque le meneur montre sa lune pendant tout le jeu !
• Le meneur qui va rester jusqu'au bout tourné contre le mur s'appelle « la mère ». Les autres joueurs sont à cinq ou six mètres de distance sur une ligne figurée par un fil ou un trait de craie.

• Un premier joueur apostrophe la mère :
« Mère, veux-tu ?
— Oui, mon enfant.
— Combien de pas ?
— Trois petits pas (ou un pas de géant, un pas de souris, un pas en arrière…). »
• Selon la réponse de la mère, le joueur s'exécute.
• Un deuxième joueur apostrophe la mère à son tour, et le jeu se poursuit jusqu'à ce qu'un joueur arrive à toucher la mère, et à prendre sa place !

Remarques
• Pour éviter un favoritisme trop appuyé, on impose à la mère de ne jamais se retourner pour repérer les joueurs et leur place, et l'on demande aux joueurs de modifier leur voix.
• Pour le reste des invités, qui ne participent pas directement à l'appel de la mère, ce jeu est très amusant à observer et à photographier.
• Peut-être sera-t-on étonné de voir qu'Agnès est plutôt bonne joueuse, alors que sa fille Adeline a du mal à ne pas être une fois de plus la première. Quant à François, personne dans la famille ne lui connaissait ce talent à imiter si bien la voix de Donald ! C'est pas mal, les jeux de mariage, pour se changer des idées reçues !

Pomme de terre balance

Quatre ou cinq joueurs
Un meneur
Une pomme de terre par joueur
Une voiture miniature par joueur
Un mètre de ficelle en sisal par joueur

But
Faire avancer une petite voiture en la poussant avec une pomme de terre suspendue à sa taille.

Déroulement

• Même le perdant à ce jeu n'en aura pas gros sur la patate, puisque le fou rire est assuré pour tous les participants, comme pour les spectateurs.

• Et puis la phrase vous servira d'introduction pour présenter le jeu, à moins que vous n'invitiez à participer à une activité physique réservée à ceux qui ont un bon de coup de rein et apprécient particulièrement cette plante de la famille des convolvulacées (des gens qu'on aurait oublié d'inviter ?).

• Vous avez pris soin de percer auparavant en leur milieu chacune des grosses patates, avant d'y nouer l'extrémité d'une ficelle d'un mètre environ.

• Chaque participant accroche l'autre extrémité à sa ceinture, de manière à ce que la patate effleure à peine le sol. Les dames pourront aider les messieurs à cette préparation.

• Les joueurs sont en ligne. Posez devant chacun une petite voiture miniature. À chacun de la faire avancer jusqu'à un point déterminé à partir des seuls mouvements du bassin. Et en douceur, Messieurs !

Variantes

• Il est possible d'organiser des tournois filles contre garçons : ces derniers font avancer leurs voitures à coups de rein pendant que leurs compagnes épluchent une pomme de terre avec un couteau économe en essayant de n'obtenir qu'une seule et même pelure !

• Rien n'empêche ensuite d'inverser les rôles (les corvées patates, du temps de l'armée, c'était bien la mission des hommes, non ?) ou de faire des équipes mixtes. L'important, c'est d'avoir la frite !

Pommes d'amour

Cinq ou six couples de joueurs volontaires
Un bout de ficelle et une pomme par couple

But
Les filles doivent croquer la pomme de leur partenaire.

Déroulement
Il n'est plus question de patates, mais de savoir si c'est bien ainsi qu'Ève a pris position pour croquer la pomme d'Adam.
• Confiez à chaque garçon un bout de ficelle et une pomme. Chacun va nouer le bout à la queue de la pomme (et non le contraire !).
• Demandez à chaque garçon d'attacher l'autre bout (de la ficelle !) à la boucle de la ceinture de son pantalon, de manière à ce que la pomme pende entre les jambes.
• À votre signal, chaque demoiselle, à quatre pattes, va se charger, sans y mettre les mains, de croquer dans la pomme de son partenaire.

Remarques
Encore un jeu à vos risques et périls ! C'est bien à vous de sentir si l'ambiance est bonne pour proposer ce jeu aux évidentes allusions sexuelles, difficile à proposer si personne ne pipe mot.

La bouteille et la bougie

Cinq ou six joueuses volontaires
Une ficelle, une bougie et une bouteille pour chacune

But
Introduire une bougie suspendue à sa taille dans le goulot d'une bouteille uniquement par le mouvement de ses reins.

Déroulement
• Puisque nous sommes dans les jeux fins et délicats, sans aucune connotation un peu lourde, proposons ce nouveau jeu de suspension, d'introduction et d'application.
• Comme pour le précédent où les garçons portaient une pomme suspendue entre les jambes, les filles cette fois auront une bougie en lieu et place du précédent tubercule.

• Il s'agit, pour ces demoiselles, de faire délicatement pénétrer l'objet dans le goulot d'une bouteille.

Remarque
Il faut une sacrée décontraction, ou une étonnante innocence pour proposer ce jeu sans aucune gêne. Pourquoi pas ? C'est lors d'un mariage que nous l'avons découvert. Chacun choisira, même si l'auteur de ce livre préfère rire d'autres jeux.

Les six assiettes

Deux joueurs
Huit assiettes en carton de quatre couleurs différentes
Quelques cartes avec consignes

But
Prendre quatre appuis sur quatre assiettes désignées.

Déroulement
• Ce jeu demande une certaine souplesse : on le proposera aux personnes que l'âge ou l'étroitesse d'un vêtement n'empêchera pas de se retrouver en équilibre à quatre pattes.
• Vous avez prévu un jeu de seize petits cartons : huit noms de couleurs (deux par deux correspondant à celles des assiettes en carton) ; huit noms d'appuis (deux *Main droite*, deux *Main gauche*, deux *Pied droit*, deux *Pied gauche*).
• Disposez les huit assiettes sur le sol, appelez deux joueurs : « Stéphane, un vrai copain des jeux comme toi devrait réussir ce petit tour ! Je te propose de jouer avec Stéphanie. D'accord ? »
• Les deux joueurs s'installent alors sur le sol, en posant leurs appuis où ils veulent sur les assiettes en carton.
• Vous pouvez maintenant leur indiquer des mouvements, en faisant tirer les cartes deux par deux à l'un des spectateurs : « Eh bien mon cher Stéphane, Frédéric vient de tirer pour toi *Pied gauche* et *Assiette bleue*. Je te redis qu'il n'est pas question de perdre l'équilibre ou de toucher le sol autrement

qu'avec les mains et les pieds. Mais un copain des chats, comme toi, devrait y arriver sans problèmes ! »
• Et comme Stéphane perdit face à Stéphanie, celle-ci avec humour et amour lui proposa de jouer à *Pauvre petit chat malade* (voir page 87) !

Remarque
• Le meneur qui possède plusieurs jeux dans sa besace saura rapidement à partir d'un thème (comme ici le chat) passer d'un jeu à l'autre sans que l'attention ne retombe.
• C'est aussi le moyen rapide d'arrêter un jeu qui fonctionne mal, de le remplacer aussitôt par un autre. Comme un chat qui retombe toujours sur ses pattes !

La bête à quatre jambes

Deux ou trois couples de joueurs
Un meneur

But
Se relever dos à dos, bras entrelacés.

Déroulement
• Les joueurs doivent être souples et de même corpulence.
• Par couples, les joueurs s'assoient dos à dos, les coudes entrelacés.
• À votre signal, ils doivent se relever progressivement, tout en continuant à se tenir par les coudes.
• Le premier couple debout, dos à dos, bras entrelacés, sort gagnant.

Remarques
• Couple ne veut pas dire forcément homme et femme. Et l'on pourra s'amuser de voir ici Marie-Jo et Hélène s'affronter dos à dos !
• Quant à ceux qui n'ont pas eu les coudées assez franches, ils se contenteront d'un gage. Celui-ci par exemple : « Toucher de sa main droite une partie de son corps que la main

gauche ne peut atteindre. » Laissez-leur quelques instants pour qu'ils découvrent qu'il s'agit de leur coude droit qu'ils sont justement en train de frotter énergiquement.

Farandole sous un balai

Un nombre indéterminé de joueurs
Le meneur et un acolyte

But
Faire passer les joueurs sous un balai à l'horizontale.

Déroulement
• On se souvient de l'épisode historique des fourches Caudines : l'armée romaine vaincue par les Samnites, en 321 avant Jésus-Christ, dut passer sous le joug. L'épisode se déroulait dans les Caudines, un défilé en Italie centrale. Il nous en est resté l'expression *passer sous les fourches Caudines*, symbole de conditions humiliantes sous la contrainte.
• Ce jeu pourrait y ressembler si le meneur désignait volontairement qui va passer sous le manche à balai qu'il tient à l'horizontale. Ce n'est pas, bien sûr, notre intention. Mais lorsque l'on est meneur, on ne doit jamais perdre de vue qu'un jeu anodin peut tourner au règlement de comptes si l'on n'est pas suffisamment attentif au choix des « victimes ».
• « Tenez, Pierre, aidez-moi à tenir ce balai à l'horizontale. Les personnes désignées vont maintenant passer en farandole sous ce bâton. À chaque tour, nous le baisserons de quelques centimètres. »
• Une fois de plus, l'humour et l'à-propos permettent de retourner les situations. Félicitez les gagnants : « Bravo, Patrice, bravo, Alain, vous vous en êtes bien tirés. Et pour vous prouver que nous sommes beaux joueurs, merci de nous tenir le manche haut, pour que Pierre et moi, puissions à notre tour passer dessous. Ainsi, nous serons quittes ! »

Coucou cocu

Un nombre de joueurs indéterminé
Un meneur

But
Se déplacer pliés en deux et crier chaque fois que l'on se touche du cul.

Déroulement
• Dans notre bonne tradition gauloise, il aurait été dommage que l'on ne fasse pas, au cours d'un jeu, allusion aux cocus. Même si cette situation rend la plupart du temps le (ou la) concerné(e) consterné(e), le cocu fait partie de notre tradition boulevardière.
• Qui se souvient que ce mot fait allusion au coucou, cet oiseau des bois à dos gris et ventre blanc rayé de brun qui dépose ses œufs dans le nid des autres ? Et pas à la célèbre pendule de bois munie d'un système d'horloge imitant le cri de l'animal et permettant à heure fixe d'ouvrir ses portes pour montrer son petit oiseau !
• Pour ce jeu, les joueurs sont debout, jambes légèrement écartées, buste en avant, mains sur les chevilles ou les genoux. Chacun progresse dans cette position à reculons.
• Chaque fois que deux culs se rencontrent, il faut se regarder dans les yeux, entre ses jambes en criant : « Coucou cocu ! »
• Eh ! Les cocos, le coucou cocu n'a jamais été présenté comme un jeu intellectuel, ici les cocus ne s'adressent qu'aux culs !

Renvoi d'ascenseur

Des couples de joueurs
Un meneur

But
Obliger son partenaire à se détacher du sol en le tenant par les mains, assis pieds contre pieds.

Déroulement
• Encore un jeu de souplesse et d'affrontement pour renvoyer l'ascenseur à ceux qui nous ont fait participer à des jeux aussi bêtes que le précédent ; ou une manière amusante de voir s'affronter des personnes qui au début de la soirée ne se connaissaient pas. À condition de proposer ce jeu à des personnes de force égale non entravées par leurs vêtements.
• Les joueurs s'assoient deux par deux sur le sol, face à face, les jambes tendues devant eux, les pieds calés contre ceux de l'adversaire.
• Puis ils se penchent en avant et s'agrippent fortement par les mains.
• Au signal du meneur, chacun tire de toutes ses forces en arrière, en cherchant à déséquilibrer son adversaire.
• A gagné celui qui parvient le premier à soulever l'autre du sol.

Remarques
Si nous utilisions plus souvent ce type de jeu pour régler nos querelles de pouvoir, cela ferait du bien à tout le monde !

Combat de coqs

Un couple de joueurs
Un meneur

But
Faire perdre l'équilibre à son adversaire.

Déroulement
• Si ces jeux d'affrontements physiques sont présents dans ces propositions de jeux de mariages, ce n'est pas pour que la soirée se termine en bagarre ou en conflit ouvert entre les deux familles ! Non, c'est parce que, d'une part si le meneur

a du bagout, tous les invités participeront en soutenant fortement l'un ou l'autre ; et d'autre part parce que tous ces jeux, s'ils sont présentés avec humour, permettent justement de régler quelques affrontements d'individualités au caractère fort. Cela ne restera qu'un jeu, mais personne ne sera dupe de l'affrontement entre deux individus qu'ils connaissent bien. Être meneur demande de la finesse et le sens de la diplomatie.

• Pour le combat de coqs, le meneur trace un cercle d'au moins un mètre de diamètre sur le sol.

• Les deux concurrents choisis s'accroupissent dans le cercle, bras croisés sur la poitrine.

• Au signal, chacun s'efforce, pendant deux minutes, de pousser l'autre hors du cercle, de lui faire perdre l'équilibre ou de poser une main sur le sol.

• Tous les mouvements sont permis (marcher, sautiller…) à condition de rester accroupi et de garder les bras croisés.

Remarques

• Vous pouvez choisir les deux partenaires selon un critère (les cousins qui se cherchent depuis le début de la soirée, pour une vieille histoire de famille) et surtout ne pas l'annoncer : « Eh bien, nous allons proposer à John qui est passionné par les coccinelles et à Jim qui s'intéresse aux cocktails de venir livrer un petit combat de coqs ! »

Et vous ajoutez avant qu'ils n'aient le temps de réagir : « Ce n'est pas ça ? Ce n'est pas bien grave, vous êtes bien John et vous Jim, c'est parfait. Mesdames et Messieurs, je vous demande d'encourager nos candidats ! » Et le jeu d'affrontement peut commencer.

Famille contre famille

Deux familles comme dans le jeu de cartes
Un meneur

But

Déplacement rapide des personnes composant deux colonnes parallèles.

Déroulement

• Tout le monde connaît le jeu des sept familles. Chacune se compose du père et de la mère, du fils et de la fille, de la grand-mère et du grand-père.

• Proposez deux groupes se composant ainsi. Si on peut le faire effectivement avec les membres des deux familles à leurs bonnes places, c'est tant mieux. Mais la vie n'est pas toujours réglée comme un jeu de cartes. Et l'on retrouve souvent un passé décomposé et des familles recomposées, alors, débrouillez-vous sans froisser personne !

• Les deux familles se mettent en colonne, du plus jeune au plus vieux. Les deux colonnes sont parallèles et espacées d'au moins deux mètres. Le meneur raconte une histoire où va intervenir chaque membre de la famille.

• Chaque fois qu'il mentionne un membre, celui-ci ou celle-ci doit contourner sa colonne par l'arrière pour reprendre sa place.

Et lorsqu'il dit le mot « famille », tous les joueurs doivent faire de même.

• Il est utile de présenter le jeu par étapes pour bien identifier la place et le rôle de chaque membre de chaque famille.

• Pour expliquer un déplacement, faites-le vous-même, en disant : « Supposons que je sois le grand-père de cette famille, je suis donc devant », et prenez sa place.

• « Et lorsque je dirai les *grands-pères*, il faudra partir vers l'arrière et je fais le tour de la colonne pour reprendre sa place », et vous venez de le faire en l'expliquant !

• Vous pouvez reprendre votre souffle et lancer le jeu !

Variante

• Le meneur nomme les membres par famille : « Dans la famille Marabout, je voudrais le grand-père… », et celui-ci doit intervertir sa place avec celle de son homologue dans la famille Hachette.

Clochemerle

Un nombre égal de joueurs originaires de deux lieux différents
Un meneur
Une cloche

But
Répondre à des questions et gagner des points pour sa famille.

Déroulement
• On est tous nés quelque part ! Et cela peut être l'occasion d'un nouveau jeu entre les deux familles, surtout si elles viennent chacune de deux communes différentes.
• Pas question d'en faire un sujet de conflit, on ne refait pas Roméo et Juliette, un autre jeu nous en a donné l'occasion (voir page 124).
• Les deux familles sont placées à égale distance d'une cloche.
• Le meneur pose une question aux deux familles. Le joueur qui pense connaître la réponse court sonner la cloche et donne la réponse au meneur.
• Si elle est bonne, il marque 1 point, si elle est mauvaise il fait perdre 3 points à son équipe.

Exemples
• Pour être vraiment amusant, ce jeu nécessite une petite enquête que deux ou trois invités peuvent préparer à l'avance.
• Voici quelques questions possibles :
— Quel est le nom du maire ?
— Quel est le nombre d'habitants ?
— Comment s'appelle la place où se déroule le marché ?
— Citez le nom d'au moins une personne célèbre née dans cette ville.

— On peut faciliter les réponses par un QCM (Non, ça ne veut pas dire « Quel Crétin, Malheur ! », mais « Questionnaire à Choix Multiple ») dans lequel vous proposez trois réponses, dont une seule est la bonne.

• Vous pouvez bien entendu utiliser toutes les questions, les devinettes et les informations glissées dans les explications des jeux de ce livre.

Remarques

• Préparer un questionnaire à plusieurs est toujours agréable puisqu'une question en amène toujours une autre.

• Soignez bien la présentation, et demandez à un ami de jouer le rôle de l'arbitre impartial.

• Pour éviter les contestations à l'énoncé des réponses données, rédigez à l'avance un petit complément d'information ou une anecdote pour chacune des réponses.

• Le nom de Clochemerle vient du nom d'un roman éponyme de Gabriel Chevallier (1934), racontant les querelles internes entre les différentes familles d'un village. Ce récit humoristique eut un immense succès et fut porté à l'écran.

Travail, voiture, maison

Une quinzaine de joueurs
Un meneur
Une craie

But

Réagir rapidement à l'énoncé d'un lieu et se déplacer en conséquence.

Déroulement

• Demain, la fête est finie, il faudra s'y faire à nouveau, passer de la maison à la voiture, puis de la voiture au travail… Et recommencer dans le sens inverse. Mais c'est quand, les vacances ? Ce nouveau jeu va nous permettre de réagir rapidement pour faire le bon choix au bon moment.

• Le meneur marque sur le sol un trait ou choisit un joint du carrelage, de parquet, ou même un bout de ficelle comme ligne de démarcation.
• Les joueurs se placent côte à côte en deçà de cette ligne, face au meneur.
• Le meneur annonce successivement à haute voix les mots « travail », « voiture » ou « maison » dans l'ordre de son choix.
• À chaque lieu annoncé correspond un déplacement :
« travail » : les joueurs sautent à pieds joints de l'autre côté du trait
« voiture » : les joueurs sautent sur place
« maison » : les joueurs reviennent à leur position de départ.
• Un cercle figurant « Vacances » est tracé un peu à l'écart. Suivant le terme que crie le meneur, les joueurs sautent dans l'une des zones. Celui qui se trompe part en vacances !

Variante

• Maintenant que le jeu est bien compris et que les déplacements sont bien intégrés, on peut le compliquer en faisant intervenir des noms d'objets.
• Au lieu d'annoncer les trois lieux, le meneur propose différents noms d'objets. Les joueurs doivent choisir et se déplacer en fonction du lieu où se trouve habituellement cet objet.

Exemples

• Travail : bureau, ordinateur, chaise, machine à café, pointeuse, archives, standard…
• Voiture : volant, klaxon, démarreur, pédale, coffre, clé à molette, bidon d'huile, roue de secours…
• Maison : casserole, lit, canapé, magazine, télévision, livres, armoire, brosse à dents, chocolat…
On aura très vite compris qu'il n'est pas facile d'établir une liste d'objets particuliers à un même lieu. Le plus simple est d'établir une liste sur un grand panneau, avec l'aide des joueurs. C'est elle qui fera référence. Et lorsqu'un joueur se trompera de catégorie, il pourra justifier de son choix en

employant de bons arguments. Le résultat risque d'être savoureux !

Le champion du couteau

Des joueurs en équipe
Un banc
Un grand couteau de cuisine très bien affûté
Une planche de cuisine
Un bandeau
Un meneur

But
Trancher dans le vif du sujet.

Déroulement
• Pour conclure ce chapitre, voici un jeu qu'un ami m'a rapporté du Béarn : « Il faut prendre 1 ou 2 ou 3 ou 4 joueurs ou alors créer des équipes ; en général, le marié en fait partie. Ils doivent tous obligatoirement porter des chaussettes. »
• Puis il continue sa description avec force gestes : « Le meneur présente le jeu comme le concours de celui qui donnera des coups de couteaux le plus rapidement possible sur une planche de cuisine posée sur un banc, en ayant les yeux bandés. Il annonce, ensuite, qu'un des organisateurs est actuellement le champion en titre et qu'il faut le battre. La participation au concours impose d'être pieds nus. Les chaussures et les chaussettes restent dans l'entrée de la salle, soigneusement repérées par les propriétaires. Tu fais passer en premier celui qui sera la "victime". Il se met à genoux devant le banc. On lui passe le couteau. Il donne des coups le plus rapidement possible sur la planche posée devant lui comme s'il coupait des herbes et de l'ail, durant 25 secondes environ, pour trouver ses marques. Le public compte les coups donnés. Puis, l'un des organisateurs lui bande les yeux en s'assurant bien sûr qu'il ne voit absolument rien. Pendant ce temps, un autre va chercher les chaussettes du concurrent

et les pose sur la planche. Le signal du départ aveugle est donné. Pendant que le concurrent donne ses coups de couteau, le public compte et les meneurs font bouger le banc de façon à ce que le concurrent coupe ses propres chaussettes sur toute leur longueur. On stoppe le concurrent et, avant de lui enlever le bandeau, on demande au public d'applaudir. Il voit alors ses propres chaussettes en lambeaux. »

• Et mon ami d'ajouter : « Voilà le jeu de mariage que je connais et crois-moi, il fait son effet ! Cela va sans dire qu'il faut prendre ses précautions avec les couteaux et aussi choisir un concurrent beau joueur. Salut et bon mariage ! »

Remarque

Sans vouloir trancher sur l'intérêt ou non de présenter ce jeu, on peut se demander si la victime n'est pas toujours consentante pour passer ce bizutage déguisé ?

Jeux et tours spectaculaires

Voici quelques jeux plus spectaculaires qui demanderont un peu plus de mise en scène. La plupart des invités deviendront les spectateurs attentifs de ces tours qui les étonneront, les éblouiront et surtout participeront à la réussite de la soirée.

On soignera particulièrement la présentation et les éclairages : une petite estrade facilitera la vision pour tous les participants. Si ces petits numéros doivent être préparés et présentés avec sérieux, il n'est pas question de concurrencer le spectacle que pourraient proposer des professionnels, mais de partager un moment de plaisir comme un cadeau supplémentaire aux mariés.

Bébé a faim

Quatre ou cinq couples
Une chaise par couple
De quoi bander les yeux
Des petites cuillères

But

Nourrir son homme à la petite cuillère en ayant les yeux bandés.

Déroulement

• Le meneur monte sur la scène où quelques chaises solides sont installées. Puis il annonce : « Mesdames et Messieurs, nous savons tous que de la rencontre d'un homme et d'une femme, il peut naître un petit homme. Certains n'attendent pas le mariage pour s'en apercevoir quand d'autres souhaiteraient *déjà remettre le moule au grenier*. Bref, il est, je crois, important d'expliquer à nos jeunes mariés, non pas comment on fait les bébés, mais comment on les nourrit ! Pour cela, je vais demander à quatre ou cinq couples ayant une expérience dans le domaine de venir nous rejoindre. »

• Vous avez pris soin quelques minutes auparavant de prévenir lesdits couples de votre souhait de participation en leur exposant brièvement le déroulement du jeu.

« Merci Gérard et Maryvonne, merci Benoît et Babette et merci Pierrot et Claire pour votre participation sous l'œil enthousiaste de vos enfants respectifs ! Mesdames, si vous voulez bien vous asseoir sur ces chaises. Messieurs, pour une fois, vous allez pouvoir jouer aux bébés. Même si pour certain c'est un peu de l'histoire ancienne, rappelez-vous que nous sommes tous passés par là ! Messieurs, asseyez-vous délicatement sur les genoux de vos compagnes respectives. Nous allons maintenant distribuer à chacune de ces dames un petit pot pour bébé et sa petite cuillère. Vous aurez la charge de nourrir "bébé". »

• Laissez passer un temps, puis ajoutez : « Mais, nous avons

prévu un test aveugle… », ce que vous ne leur aviez pas dit auparavant, et pendant que des complices se chargent de leur bander les yeux, des petits pots pour bébé et des petites cuillères sont distribués à chaque « maman ».
• Le jeu est vite très amusant si les hommes font mine de ne pas vouloir manger.

Remarques
• Pour éviter de voir les cravates et les tenues de fête maculées, vous pouvez munir les joueurs de gigantesques serviettes nouées autour du cou.
• Il existe une autre version de ce jeu, particulièrement désastreuse : l'objectif est de faire boire au biberon un alcool fort, le verre étant gradué en degrés de virilité.
• Il est difficile de cautionner cet exercice stupide et dangereux qui assimile consommation d'alcool et virilité.

Plate couture

Quatre ou cinq couples
Une chaise par couple
Du fil et des aiguilles
De quoi bander les yeux

But
Recoudre une pièce de tissu sur le pantalon de son mari.

Déroulement
• Puisque les couples qui ont participé au jeu précédent se sont montrés particulièrement performants en barbouillages et éclaboussures, il est temps d'appeler d'autres couples pour les battre à plate couture : « Je vais demander à Anne et Jean-Loup de venir nous rejoindre, avec Évelyne et Xavier, sans oublier Élisabeth et Olivier, toujours sous les yeux éberlués de leurs enfants respectifs et respectueux ! »
• On peut très bien convenir à l'avance que pour rendre le jeu plus spectaculaire, les couples l'ont soigneusement pré-

paré et répété. On n'est plus tout à fait dans le ludique, mais le résultat pourra être meilleur. Ceci permettra au passage de prévoir des pantalons que l'exercice de couture risquerait d'abîmer.

• Pris de fou rire, les spectateurs ne verront pas que tout est cousu de fil de blanc, y compris la terrible engueulade entre Jean-Loup et Anne !

• Les hommes sont couchés sur les genoux de leurs femmes. Chacune va recoudre une pièce de tissu sur le fond du pantalon, avec force commentaires.

• À vous, ou à eux, de choisir si l'exercice se déroule les yeux bandés (pour les femmes, bien sûr !).

Remarques

• Ce petit jeu sera plus coquin si ces dames, plutôt que de rapiécer le fondement de leurs compagnons, se chargent de recoudre un bouton de leur braguette ! Les acteurs devront alors avoir du talent pour en faire une bouffonnerie digne de la Commedia dell'arte. À chacun de tirer son épingle ou de se piquer au jeu sans y perdre sa bonne humeur ni mettre les spectateurs mal à l'aise.

Assis, debout, chapeau

Deux joueurs
Deux chaises
Deux grands chapeaux
Un meneur

But

Faire le geste contraire à celui de son partenaire.

Déroulement

• Ce jeu demande deux chaises et le silence le plus complet.

• La phrase qui précède contient un zeugma : rien de dangereux, ni de contagieux, simplement la coordination de deux éléments qui ne sont pas sur le même plan syntaxique. On se souvient peut-être de la phrase de Victor Hugo : « Vêtu de probité candide et de lin blanc ». Ce n'est pas bien ennuyeux, le lecteur aura retenu l'explication pour un questionnaire et son souffle !

• Les deux joueurs sont assis face à face, un chapeau sur la tête. Les spectateurs les voient de profil.

• Les consignes de départ sont simples : « assis », « debout », « avec chapeau » et « sans chapeau ».

• Quand le joueur qui mène se met debout, son partenaire doit s'asseoir ; lorsqu'il porte son chapeau, l'autre doit l'enlever. Et les actions se mènent simultanément.

Remarques

• Ce jeu est plus difficile qu'il n'y paraît. Il est amusant de prendre des joueurs d'âges différents.

• Le meneur peut être l'un des partenaires pour présenter le jeu. Puis le premier perdant appelle un autre joueur à sa place.

• On peut emprunter deux chapeaux dans la salle, mais il se trouvera toujours une personne capable de réaliser, en pliages, deux grands chapeaux de gendarme, bien moins fragiles.

La minute

Une dizaine de joueurs d'âges différents
Un meneur
Et autant de chaises que de participants
Un chronomètre

But

Estimer la durée d'une minute.

Déroulement

• « Quand je pense à ma petite Véronique bébé, j'ai l'impression que c'était hier. Et voilà que je la marie déjà à votre grand Guillaume… Je vous le dis, Isabelle, on ne voit pas

le temps passer. Vous permettez que je vous appelle Isabelle ? Maintenant que nos enfants sont mariés, on risque de se voir d'une minute à l'autre… » Et la conversation se poursuit entre les deux mamans qui ont rapproché leurs chaises en rêvant déjà d'être grand-mères. Cette notion du temps qui défile va être l'occasion d'un autre jeu.
• Les joueurs s'assoient sur une file face aux spectateurs.
• À partir du signal donné par le meneur, les joueurs doivent évaluer la durée d'une minute, et se lever silencieusement après ce laps de temps.
• Le gagnant est celui qui en est le plus proche. Un chronomètre permettra d'arbitrer la compétition.

Remarques
• Il est toujours très étonnant de voir comme, d'une personne à l'autre, la notion de temps est fluctuante. Certains seront debout au bout de trente secondes quand d'autres dépasseront allégrement les deux minutes.
• Bien sûr, aucun spectateur ne doit signaler quand la minute est effective. Mises à part les deux mamans qui continuent leur conversation en se racontant mutuellement les liens de parenté entre les différentes personnes présentes dans la salle !

Placer une phrase

Deux joueurs particulièrement bavards
Deux chaises
Un meneur

But
Glisser une phrase prévue à l'avance dans une conversation passionnée.

Déroulement

• « Oh, écoutez le mien, c'est de l'entendre parler qui m'a séduite en premier. Je me suis dit : ce type-là, ce n'est pas possible, c'est un futur avocat ou présentateur télé ! Eh bien non, mon Julo, c'est un plombier qui m'a fait trois beaux garçons, et qui est toujours beau parleur. Des fois, je me demande même si ce n'est pas pour ça que notre aîné veut faire instituteur. » Il n'est pas certain que ce soient ces deux-là qui vont venir spontanément participer à ce nouveau jeu. De toute façon, elles sont plutôt du style à dérouler en parallèle le fil de leur conversation, en attendant l'heure de la pièce montée.

• Si vous relisez attentivement le paragraphe précédent, il y a matière à trouver au minimum deux phrases que nous allons retenir pour les glisser dans la conversation.

• Le principe du jeu est simple : deux joueurs se font face et doivent converser avec passion sur un sujet imposé.

• Et vous avez glissé dans l'oreille de chacun deux phrases différentes qu'ils devront le plus naturellement du monde placer dans leur conversation.

• Les spectateurs, eux, connaissent les deux phrases : une feuille circule, ou un panneau, derrière le duo bavard, porte en grand les deux inscriptions.

Exemples

Les sujets de débat sont bien entendu délirants :

— L'avantage du slip ou du caleçon.

— Les haricots verts en conserve ou surgelés.

— Lara Fabian ou Céline Dion.

— Le papier-toilette en rouleau ou en feuilles.

— Les mouchoirs en papier ou à carreaux.

— Brosser ses dents dans un verre à pied ou ses pieds dans un verre à dents.

— Dormir avec la barbe sur ou sous le drap.

— On peut aussi reprendre une expression familière dans chaque famille.

— Les proverbes mélangés de la page 111 ou les citations sur l'amour de la page 47 peuvent également être utilisés.

Remarques

• Le meneur peut jouer le rôle d'animateur d'un débat télévisé et pousser les interlocuteurs à s'apostropher ardemment.

• On peut également convenir de n'avoir le droit de lancer sa phrase qu'à partir du signal sonore donné par le meneur. Qui sait, certains pourraient être intéressés par le réel objet du débat !

Variante

En hommage aux films musicaux de Jacques Demy, on peut demander aux joueurs de converser en chantant.
« Mais qu'allons-nous faire de tant de bonheur, le cacher ou bien le taire… » comme le proclament en chœur le prince et la princesse de *Peau d'âne*.
« La si-tuati-on mérite atten-ti-on… » annonçait la fée Lilas ; pourquoi ne pas s'en inspirer pour une conversation enchantée ?

Conversations secrètes

Deux joueurs
Un meneur
Deux chaises

But

Trouver le sujet de conversation entre deux personnes.

Déroulement

• Il nous est arrivé à tous, un jour ou l'autre, d'être le témoin auditif d'une conversation dont nous avons eu du mal à saisir le sens. Cela peut se passer dans le train, dans un café ou la salle d'attente du dentiste. Et c'est une occasion de s'amuser, sans aucun signe extérieur, que d'essayer de deviner le sujet qui réunit ces deux personnes.

• C'est aussi l'occasion du jeu que nous présentons ici : deux joueurs se mettent d'accord sur l'objet d'une discussion. Ils engagent la conversation en parlant de manière elliptique. Ceux qui pensent en deviner le sujet tentent de s'infiltrer dans leur conversation.

Remarques

• Selon leurs talents, les deux joueurs peuvent improviser ou préparer soigneusement leurs dialogues. Le principe est bien sûr d'employer des mots à double sens.
• Il est déjà plus compliqué de mélanger les genres en parlant d'une personne quand il s'agit d'un homme et d'un individu quand il s'agit d'une femme.
• On peut aussi s'inspirer du jeu *Comment est mon mari ?* (voir page 33).

Première rencontre

Les deux mariés
Un joueur
Un meneur
Les autres en spectateurs

But

Savoir comment les mariés se sont rencontrés.

Déroulement

• Selon les statistiques, c'est bien sur le lieu de travail que se font les premières rencontres qui entraînent ce jour où l'on se retrouve devant Monsieur le maire. Et il est souvent assez savoureux d'entendre les autres couples raconter leurs premières rencontres.
• C'est ainsi que Pierre a rencontré Michelle devant un grand magasin où ils s'étaient donné rendez-vous pour partir à une réunion de préparation d'une colonie de vacances. Pierre se présenta à celle qui, quelques années plus tard, allait devenir son épouse avec cette formule : « Docteur Livingstone, I presume. » Ce qui la laissa perplexe ! Ils ont plus de vingt-cinq ans de mariage à ce jour, et trois beaux enfants !

• Mais aujourd'hui, ce sont nos mariés qui vont raconter à tous leurs invités leur première rencontre.
• Demandez à une personne qui ne sait rien de cette rencontre de sortir de la salle. Pendant ce temps, les deux époux sur qui portera l'interrogatoire racontent brièvement comment elle s'est déroulée. Les invités peuvent les questionner pour avoir plus de précisions.
• Le joueur revient et va interroger les époux. Ceux-ci ne peuvent répondre que par oui ou par non, et se faire aider par les autres invités.

Variante
• Il est facile de piéger le jeu en répondant par oui quand la question se termine par une consonne et par non quand il s'agit d'une voyelle. Mais on sort du jeu et personne ne saura vraiment comment mademoiselle a rencontré monsieur. Dommage !
« C'est tellement simple, l'amour ! » comme le dit Arletty, jouant Garance dans *Les Enfants du Paradis*.

Questions dos à dos

Les mariés
Deux chaises
Un meneur
Des panneaux préparés à l'avance

But
En savoir un peu plus sur la vie de couple des mariés.

Déroulement
• De nos jours, il est rare que les mariés n'aient pas déjà partagé des jours et des nuits avant de se marier. Ce jeu de questions est donc possible alors qu'il aurait été plus difficile pour la génération de leurs grands-parents.
• Si l'exercice se trouve néanmoins compliqué, on pourra toujours le proposer aux parents ou à un autre couple connu

et apprécié de tous. Pourquoi pas Pépère et Mémère qui vont fêter leurs noces de platine (voir page 233) ? On aura pris soin de prévenir le couple de ce jeu, moins innocent qu'il n'y paraît.

• Vous avez pris le temps auparavant de préparer quatre panneaux.

Pour lui : « Elle » et « Moi » et pour elle : « Lui » et « Moi ».

• Les mariés sont assis sur la scène dos à dos, chacun avec deux panneaux à la main.

• À tour de rôle, les invités posent des questions sur la vie quotidienne des mariés.

• Dans un premier temps, ceux-ci répondent simultanément à l'aide de leurs panneaux. Chaque fois qu'il y a contradiction dans les réponses, la personne qui vient de poser la question peut demander à l'un ou l'autre de s'expliquer.

Exemples

— Qui fait le plus souvent la vaisselle ?

— Qui a fait le premier pas le jour où vous vous êtes rencontrés ?

— Qui est le plus tendre ?

— Qui a embrassé l'autre le premier ?

— Qui ronfle le plus ?

— Qui descend la poubelle ?

— Qui tient les cordons de la bourse ?

— Qui tire la couverture ?

— Qui choisit le programme télé ?

— Qui fait le plus souvent les courses ?

Variantes

• Dans un second temps vous pourrez préparer des questions directes que vous poserez d'abord à Madame à propos de Monsieur hors de sa présence.

• Ensuite, vous les reposerez à Monsieur en présence de Madame.

• Enfin vous ferez l'inverse.

Si les questionneurs connaissent bien les jeunes époux, il sera assez facile de trouver rapidement les sujets de brouille passagère, comme les occasions de passions partagées.

• Une dernière chose : lorsque le meneur pense que la question est vraiment personnelle, il est toujours possible de la retourner à celui, ou celle, qui la pose !

— Qui programme la radio dans la voiture ?
— Qui décide d'inviter les copains à dîner ?
— Qui décroche le téléphone quand c'est sa mère qui appelle ?
— Quelle est la particularité physique qu'elle aimerait voir transformer chez lui ?
— Quelle est la personne que vous aimez bien et dont il (elle) est le plus jaloux(se) ?
— À quel métier rêvait-il (elle) lorsqu'il (ou elle) était enfant ?
— Lequel ne regarde jamais « À nos z'amours » à la télé ?

Quatre chaises

Quatre personnes de taille et de force semblables
Quatre chaises solides
Un meneur

But
Petit exercice physique.

Déroulement
• Dans sa pièce de théâtre *Les chaises*, Eugène Ionesco rapporte les mésaventures de deux vieillards qui trimballent une multitude de chaises pour accueillir un souverain qui ne viendra jamais. Les metteurs en scène qui ont eu plaisir à monter cette pièce de théâtre se sont toujours ingéniés à apporter sur scène une multitude de sièges différents. Du pliant de camping au trône de prince.

• C'est peut-être une bonne idée à reprendre pour l'aménagement d'un coin de salle en scène, où vous pourrez proposer des jeux spectaculaires comme celui-ci, ou ceux qui précèdent.

• Pour ce tour spectaculaire, il vous faut solliciter quatre gaillards et quatre chaises solides.
• Les quatre personnes prennent place sur les quatre chaises formant un carré, aucun dossier ne se touchant.
• Chacun doit poser la tête sur les genoux de celui qui se trouve derrière lui. Puis au signal, lever le bassin en se tenant sur les jambes.
• C'est à vous de retirer prestement les quatre chaises, le temps d'admirer le tableau !

La leçon de conduite

Un joueur
Un meneur et trois complices
Quatre chaises

But
Surprendre un joueur.

Déroulement
• Le permis de conduire est un sujet qui revient souvent dans la conversation. Chacun racontera l'histoire de celui qui vient de rater son permis pour la deuxième fois, celle d'un autre qui ne veut toujours pas le passer, sans oublier celle qui pense vraiment que certains ont trouvé le leur dans une pochette-surprise.
• Puisque le débat est lancé, voici l'occasion d'un petit tour pas bien méchant !
• Disposez les quatre chaises du jeu précédent en simulant les places d'une voiture. Installez le conducteur en apprentissage et son moniteur (vous) ainsi que deux passagers.
• L'apprenti conducteur sera la « victime » et les deux autres vos complices.
• Chacun s'installe à sa place. Le moniteur, avec force bruits, mime les mouvements occasionnés par une conduite trop rapide. Le jeu doit durer un moment de manière à ce que le conducteur novice ne se méfie plus.

• Au bout d'un moment, après plusieurs indications de direction, le meneur pousse un grand « Stop ! ». Aussitôt, tout le monde décolle de sa chaise penché en avant…
• Et un troisième complice en profite pour glisser subrepticement une éponge mouillée sous les fesses du malheureux conducteur.

Remarques
• Il est important de choisir une victime qui saura rire de cette plaisanterie humide, comme il est préférable de glisser une éponge propre et légèrement humidifiée.

Dans le sac de la mariée

Un meneur
Quelques joueurs
Des spectateurs
Un sac de dame rempli d'accessoires
Du papier et des crayons à disposition

But
Retrouver de mémoire le maximum d'objets que contenait un sac à main.

Déroulement
• Pour que ce jeu soit surprenant dans sa présentation, le meneur a pris le soin de se renseigner sur le petit sac que la mariée aura avec elle le jour de la cérémonie. La mariée ou sa maman !
• À l'intérieur de ce sac ressemblant trait pour trait à celui que tout le monde aura identifié à tort, vous avez glissé une multitude de petits accessoires différents dont vous avez fait une liste exacte.
• Approchez-vous de la mariée (ou de sa mère), complice de ce petit tour, et demandez-lui de vous confier ce sac qu'elle tient précautionneusement sur ses genoux.
• Sans laisser aux invités le temps de réagir, glissez le sac sous

votre bras, tout en distribuant à chaque tablée une feuille de papier et un stylo : « Vous savez comme moi, Mesdames et Messieurs, que l'intérieur d'un sac de dame est un territoire particulièrement étonnant. Combien d'hommes n'ont-ils pas rêvé un jour de renverser celui de leur compagne pour en découvrir le secret ? Eh bien, exceptionnellement aujourd'hui, nous allons pouvoir élucider ce que cache le sac d'une femme... » Et en disant cela, vous renversez le contenu du sac sur un grand plateau devant les invités légèrement interloqués.

• À l'énoncé de chacun des objets que vous allez remettre au fur et à mesure dans le prétendu sac de la mariée (ou de sa mère), les spectateurs peu à peu vont comprendre qu'il s'agit d'un nouveau tour : « Je vais vous demander de ne rien noter pour l'instant, et de faire marcher votre mémoire. Je vais énoncer tout ce que ce sac vous révèle. Quand il n'y aura plus rien sur cette table, et seulement à ce moment-là, vous pourrez vous munir du papier et du crayon que je vous ai fournis et établir une liste que nous vérifierons ensemble. »

Exemples

Il faut évidemment jouer sur la surprise. Voilà ce que le fameux sac pourrait contenir : un petit mouchoir en dentelle avec des initiales brodées, un rouleau de réglisse, trois petites bobines de fil de couleur, quatre épingles de nourrice, un ouvre-boîtes, une grosse clé de grenier, un pompon en laine, trois billes, un cadenas et sa clé, une lettre pliée en deux, un tube de rouge à lèvres, une fausse crotte en plastique, un préservatif, un décapsuleur, une petite boîte de cachous, un briquet, un tube d'aspirine, un exemplaire de ce livre...

• Soignez la diversité et l'originalité de ces accessoires en mélangeant ceux que l'on peut réellement trouver dans le sac d'une femme et ceux que vous n'y trouverez jamais. Pour ces messieurs, voilà l'occasion d'une enquête bien intéressante.

Remarques

• Tous ceux qui ont fait du scoutisme dans leur jeunesse ou encadré des enfants dans des centres de loisirs auront reconnu le jeu mis en scène ici. Tous le connaissent sous le nom de Kim, en référence à un personnage de Rudyard Kipling décrivant la vie d'un jeune orphelin anglais qui vivait en Inde. Au cours de ses aventures, Kim rencontre des personnages qui lui font acquérir, puis augmenter son sens de l'observation, son attention et sa mémoire.

• D'autres variantes sont possibles, et la présentation de celles-ci aura l'avantage de créer la surprise !

Variantes

• Le meneur peut augmenter le nombre d'objets, réduire le temps d'observation et le parasiter par des commentaires ininterrompus ou demander des détails précis sur chaque objet (sa forme, sa couleur, son utilisation, son état...).

• Mais aussi : ajouter à voix haute des objets qui n'existent pas pendant la rédaction des listes, demander à tour de rôle à chaque spectateur de nommer un objet qui n'a pas encore été donné.

• Pour les féministes qui trouveraient, à juste titre, que nombre de jeux de ce livre cherchent trop souvent à tourner en dérision nos charmantes et indispensables moitiés, il est toujours possible de vider la sacoche d'un homme... Mais le contenu risque d'être moins personnel ! À moins que l'on n'y ait glissé quelques objets surprenants comme une clé à molette, un play-mobil et trois Légo, la photo dédicacée de Laetitia Casta, un spray pour l'haleine...

Kim odeurs

Différents joueurs volontaires
Un meneur
Des ingrédients préparés à l'avance

But

Identifier différentes odeurs.

Déroulement

• Au début de la fête, quand chacun s'est congratulé et embrassé, plusieurs se sont exclamés : « Qu'est-ce que c'est, ton parfum ? Tu sens rudement bon ! » Quelques heures après, il n'est pas certain que les fragrances soient aussi agréables, mais peu nous importe puisque l'odorat est l'un des sens que nous avons le moins développés. Cet autre jeu de Kim va nous permettre de le vérifier.

• Quelques semaines auparavant, vous avez récupéré chez votre photographe habituel une vingtaine de petites boîtes cylindriques en plastique noir initialement destinées à contenir les pellicules photos.

• À l'aide d'un clou chauffé, vous avez percé dans chaque couvercle deux ou trois trous.

• Avec de jolies étiquettes, des gommettes ou des lettres-transferts, vous avez différencié chacun de ces pièges à odeur.

• Le matin du mariage, vous avez préparé les quelques extraits d'ingrédients que vous allez mettre dans chaque petite boîte.

Un bout de film plastique sur chacune d'elles évitera que les odeurs ne se répandent ou se mélangent, jusqu'au moment de la préparation.

• Tout est prêt, vous avez disposé une dizaine de ces boîtes sur un plateau, chacun va s'en saisir et tenter, par simple inhalation, d'en découvrir le contenu.

• À vous de bien introduire le jeu sur le thème du mariage, pour que chacun s'amuse à deviner, quitte à faire des propositions fumeuses. C'est normal, c'est l'odorat que les fumeurs perdent en premier !

Exemples

Il faut choisir des odeurs simples, pas des mélanges. N'hésitez pas à faire des tests entre amis avant le mariage. On pourrait trouver :

— Des épices fraîchement moulues : cannelle, cumin, anis étoilé, cardamome…
— Du café ou du thé
— Un peu de Javel sur un bout de tissu
— Un peu d'ammoniaque sur un bout d'éponge
— De l'essence de lavande
— De la vanille naturelle
— De l'eau de fleur d'oranger
— Des clous de girofle
— Un bout d'œuf dur
— Du vinaigre
— Du savon liquide neutre
— Une boule de naphtaline
— Une feuille de menthe
— Une feuille de basilic
— Une gousse d'ail
— Une punaise de jardin
— Un peu d'oignon…

Kim audio

Différents joueurs volontaires
Un meneur
Des outils préparés à l'avance

But
Identifier différents bruits.

Déroulement
• Maintenant que les décibels venant de la piste de danse ont fatigué les écoutilles de tous les invités, surtout de ceux qui préfèrent la valse au rock et à la techno, il est temps de proposer une autre forme de Kim, pour voir si chacun est encore capable de bien tendre l'oreille.
• Ce sera un grand plaisir pour le meneur de partager ce moment d'écoute attentive le temps d'un petit jeu.
• Même si la fête bat son plein, un peu de calme fait du bien

(eh oui, dans cette expression c'est bien du son qu'on entend qu'il s'agit, pas d'un possessif !).

• Vous avez préparé auparavant un paravent d'environ un mètre de haut (un carton à dessin fera très bien l'affaire), posé derrière une table sur laquelle vous avez disposé vos différents accessoires.

• Vous allez effectuer les différentes manipulations et demander aux spectateurs et auditeurs de les identifier.

Exemples

Cela vous demandera quelques essais et une valise d'accessoires, mais la surprise et la perplexité des joueurs seront votre première récompense. On pourrait trouver :

— Différentes cloches, clochettes, sifflets et crécelles
— Une série d'appeaux (qui demandent quelques essais et une utilisation précise)
— Un pétard (avec son briquet !)
— Le frottement d'une allumette
— Un verre d'eau que l'on renverse dans un autre
— Une noix que l'on ouvre avec un casse-noix
— Du papier kraft que l'on froisse
— Une clé qui tourne dans un cadenas
— Une bouteille que l'on décapsule
— Une boîte de boisson gazeuse que l'on ouvre
— Le crissement d'une craie sur une ardoise
— Le cliquetis d'un stylobille
— Le claquement d'une pince métallique
— Le pain que l'on tranche avec un couteau-scie
— Des pièces de monnaie
— Le déplacement d'une fermeture Éclair
— Des billes qui s'entrechoquent
— L'utilisation d'une brosse à dents
— Le claquement de ciseaux ou d'un sécateur
— Un métronome, un diapason, un minuteur
— Du scotch que l'on déroule

Écoutez ça !

Un cadeau pour les mariés
(Préparé à l'avance)

But

Identifier des voix.

Déroulement

• « Ah ! ah ! ah ! ah ! écoutez ça si c'est chouette ! » chantait Paulus dans « La plus bath des javas », « j'vais vous raconter une histoire arrivée, à Julo et Nanard... » Qui n'a jamais chanté cette chanson ?

• Mais pourquoi ne pas transformer les paroles en racontant sur cet air l'histoire des mariés ? C'est un cadeau qui fait toujours plaisir.

• Quelques copains se sont rencontrés avant le mariage pour modifier les paroles d'un air connu de tous. Le jour de la noce, on glisse une feuille avec les nouvelles paroles à chaque invité et, quand le signal est donné, tout le monde chante en chœur, souvent faux ! C'est toujours drôle et souvent émouvant.

• Pour faciliter l'interprétation, il est bien de prévoir un premier enregistrement avec fond musical et nouvelles paroles. On mettra la cassette en fond pour soutenir le chant choral.

• Parmi les chansons qui fonctionnent bien on peut prendre :
« Elle court, elle court, la maladie d'amour », de Michel Sardou.
« C'est un beau roman, c'est une belle histoire », de Michel Fugain.
« La ballade des gens heureux «, de Gérard Lenormand.
« Ma plus belle histoire d'amour », de Barbara.
Ou des chansons enfantines comme : « Sur le pont d'Avignon », « Frère Jacques », « Il était un petit navire »...

Variantes

• On peut également enregistrer quelques phrases de chansons d'amour prises chez différents chanteurs, et demander au public de les reconnaître.

• On peut aussi demander à l'avance à chaque invité de chanter une ou deux phrases d'une chanson que les mariés apprécient particulièrement. Ils auront alors la version inédite de leur chanson préférée, chantée par tous leurs amis et membres de la famille. C'est un petit travail technique, qui demande du temps et du bon matériel, mais c'est surtout un vrai cadeau personnel.

Exemples

Quelques phrases extraites de chansons d'amour qui finissent plutôt bien !

« Plaisir d'amour ne dure qu'un moment,
Chagrin d'amour dure toute la vie. »
Plaisir d'amour, de Jean-Pierre Claris de Florian (1755-1794), protégé de Voltaire. Mis en musique par Jean-Paul Schwarzendorf, dit Martini.

« L'amour est un oiseau rebelle
Que nul ne peut apprivoiser,
Et c'est bien en vain qu'on l'appelle
S'il lui convient de refuser. »
La Habanera. Carmen, 1875, de H. Meilhac et L. Halévy. Musique de Georges Bizet.

« Parlez-moi d'amour,
Redites-moi des choses tendres.
Votre beau discours,
Mon cœur n'est pas las de l'entendre. »
Parlez-moi d'amour, 1930, de Jean Lenoir.
Par Lucienne Boyer, Jacqueline Boyer, Juliette Gréco.

« C'est lui que mon cœur a choisi
Et quand il me tient contre lui
Dans ses yeux caressants
Je vois le ciel qui fout le camp
C'est bon… c'est épatant ! »
C'est lui que mon cœur a choisi, 1938, de Raymond Asso et Max d'Yresne. Par Édith Piaf.

« Quand il me prend dans ses bras,
Qu'il me parle tout bas,
Je vois la vie en rose. »
La vie en rose. 1947, d'Édith Piaf et Louiguy.
Par Piaf, Yves Montand, Marlène Dietrich…

« Nous, les amoureux,
On voudrait nous séparer… »
Nous, les amoureux. 1961, de Maurice Vidalin et Jacques Datin.
Par Jean-Claude Pascal.

« Mais toi t'es le dernier
Mais toi t'es le premier
Avant toi y'avait rien
Avec toi je suis bien. »
À quoi ça sert l'amour ? 1962, de Michel Emer.
Par Édith Piaf et Théo Sarapo.

« Et dans tes bras je fais naufrage
Sans même quitter le rivage. »
Toi. 1965, de et par Barbara.

« Quand ta bouche se fait douce
Quand ton corps se fait dur… »
Que je t'aime. 1969, de Jean Renard et Michel Thibault.
Par Johnny Hallyday.

« Mais pas la bague au doigt
Juste un fil de soie. »
Juste un fil de soie. 1970, de Jeanne Moreau et Jacques Datin.
Par Jeanne Moreau.

« Il me semble qu'on m'a tiré de toi et qu'on t'a sortie de moi. »
La lettre. 1970, de et par Léo Ferré.

« Je vais t'aimer
Comme on ne t'a jamais aimée
Comme personne n'a osé t'aimer. »
Je vais t'aimer. 1976, de Michel Sardou et Gilles Thibault.
Par Michel Sardou.

« Ma gonzesse,
Celle que j'suis avec
Ma princesse,
Celle que j'suis son mec. »
Ma gonzesse. 1978, de Renaud Séchan et Alain Brice.
Par Renaud.

« Elle est ma chance à moi
Ma préférence à moi. »
Ma préférence. 1978, de Jean-Loup Dabadie et Julien Clerc.
Par Julien Clerc.

• Cette liste n'est pas exhaustive, chacun peut fouiller dans ses souvenirs et sa discothèque. Il est également possible de trouver des enregistrements moins connus dans les médiathèques. Il existe aussi dans le commerce quelques anthologies de chansons ; citons l'une des meilleures : *Les plus belles chansons d'amour*, Anthologie de Jeanne Moreau. Albin Michel.
• On peut se reporter également aux chansons citées au cours de ce livre.

L'amiral Nelson

Un joueur
Un meneur et son complice
Un bandeau
Une bouteille vide
Une tomate

But

Surprendre le joueur alors qu'il croit exécuter une épreuve d'identification.

Déroulement

• Dans la catégorie des PJC (Petits Jeux Crétins, pour les non-initiés !), en voici un que ne renierait pas un groupe d'adolescents pour une soirée camp de ski. Il se trouvera peut-être un meneur qui veuille bien s'y risquer, si aucun invité ne le connaît déjà.

• Demandez à un joueur de venir sur scène, pour une petite expérience amusante, les yeux bandés.

• Attachez un foulard devant les yeux du volontaire, et demandez-lui de tendre le doigt en avant et de se laisser guider par vous.

• Tout en lui tenant la main, vous allez lui faire toucher une personne face à lui qui se présente comme l'amiral Nelson. Le joueur qui a pris le rôle du célèbre militaire est debout avec le genou posé sur une bouteille à l'envers simulant une jambe de bois.

• Avec des commentaires élogieux, le meneur fait toucher les muscles saillants, le visage énergique, la chevelure farouche, la jambe de bois, puis en disant : « … mais l'amiral Nelson avait aussi un œil crevé ! », il plonge, soudain, le doigt du joueur malheureux dans quelque chose de froid et d'humide : une tomate coupée en deux, une vieille éponge, de la glace fondue…

L'effet est saisissant !

• Pour consoler le joueur, racontez-lui que l'amiral Nelson eut un sort plus funeste que le sien, puisqu'il fut tué au cours de la bataille navale de Trafalgar, en 1805.

Remarques

• Parmi tous les PJC qui passent de génération en génération, nous n'avons pas retenu ceux qui mettent le joueur en réelle difficulté sous le rire goguenard des autres un peu lâches.

• De même, ne souhaitant pas caricaturer les handicaps, nous n'avons conservé que cet amiral Nelson, et éliminé tous les jeux douteux, autour des nains, en particulier.

La pièce et l'entonnoir

Un joueur
Un meneur
Un entonnoir
Une pièce de monnaie
Un verre d'eau dissimulé

But

Surprendre le joueur alors qu'il croit exécuter une épreuve de précision.

Déroulement

• Vous arrivez face aux joueurs en tenant un entonnoir sur la tête : « Pour ce petit tour, Mesdames, Mesdemoiselles, Messieurs, j'aurais besoin de quelqu'un d'aussi fou que moi… » Le public va sans doute très vite désigner sa victime rigolarde. Débrouillez-vous pour que celui-ci ou celle-ci soit doté(e) d'une ceinture !

• Accueillez le concurrent en le félicitant de son courage et tendez-lui votre entonnoir. Demandez-lui de le tenir dans la main, ouverture vers le haut. Sortez de votre poche une pièce que vous posez sur votre front.

• « Je vais essayer maintenant de réussir devant vous un tour très difficile qui m'a demandé un travail fou ! » En joignant le geste à la parole, demandez à votre partenaire de récupérer dans son entonnoir la pièce que vous allez laisser glisser de votre front en gardant les mains dans le dos.

• Votre partenaire va s'exécuter. Proposez-lui alors d'intervertir vos rôles. Puis enchaînez : « Bravo, maintenant nous allons faire de plus en plus difficile. C'est vous seul qui allez faire glisser la pièce de votre front à l'entonnoir… » Et vous glissez le bout de l'entonnoir devant son nombril.

• Demandez le plus grand silence. Posez la pièce sur le front de votre partenaire. Donnez le signal de départ…
• Et pendant qu'il est concentré sur ce difficile exercice, versez prestement le contenu d'un verre d'eau dans l'entonnoir !

Variante
Dans le même esprit humide, et pour en finir avec les PJC, voici le sous-marin : un joueur est allongé sur le sol. On le recouvre d'un K-Way ; une manche à hauteur du visage lui permet de communiquer avec l'extérieur. On lui raconte une belle histoire en lui parlant dans la manche. Et quand on aborde le naufrage on lui verse un verre d'eau dans cette manche !

Le pari du pont de pièces

Un meneur
Des spectateurs
Onze pièces de 1 franc
Un grand verre étroit

But
Le pari consiste à lancer une passerelle sur le bord d'un verre avec onze pièces de 1 franc.

Déroulement
• C'est un petit tour spectaculaire que l'on ne fera pas sur scène mais sur le coin du comptoir au moment de l'apéritif ou sur la table des mariés.
• Le tour n'est pas difficile, il demande seulement un peu d'entraînement et la main sûre !
• Posez le verre devant vous, et les onze pièces étalées devant.
• Confectionnez une première pile de trois pièces : deux côte à côte et la troisième posée dessus au milieu. Glissez une quatrième pièce sous les deux autres au milieu. Vous avez fabriqué le premier pilier de quatre pièces.
• Posez délicatement ce pilier à cheval sur le bord du verre.

On voit donc sur ce rebord : une pièce en équilibre, superposée de deux pièces, et retenue par une quatrième pièce parallèle à la première.

• Construisez de la même manière le second pilier, que vous allez poser sur le bord opposé du verre de la même façon. Si vos gestes ne sont pas brusques, si personne ne fait bouger le comptoir ou la table, cela tient très bien en équilibre.

• Maintenant que votre passerelle a ses deux piliers, il va falloir construire le ponton, c'est un peu plus délicat.

• Glissez très légèrement votre main droite autour du verre comme pour le saisir, jusqu'au rebord : votre pouce et votre index vont soutenir les deux piliers par l'extérieur pendant l'empilement des autres pièces.

• Vous allez donc, d'un côté puis de l'autre, ajouter deux autres pièces : par un système de contrepoids, rien ne tombe !

• Il ne vous reste plus qu'à poser délicatement au milieu la onzième et dernière pièce et retirer tout doucement votre main, sans faire bouger le verre.

• Le comptoir se prête mieux à l'exercice d'équilibre. Sur une table, le plus simple est de se mettre à genoux pour être à la bonne hauteur.

Le pari du tricolore

Un meneur
Des spectateurs
Un grand verre à pied
Une grande cuillère
De la grenadine
De la Marie Brizard
Du curaçao bleu
De la glace

But

Reproduire les trois couleurs de notre drapeau français et proposer un délicieux cocktail à boire avec modération.

Déroulement

• Versez d'abord la grenadine sur un centimètre environ.
• Glissez le bout de la cuillère à l'intérieur du verre de manière à ce qu'elle touche l'intérieur juste au-dessus de la grenadine.
• Versez une quantité égale de Marie Brizard en la faisant glisser doucement sur le bord du verre, en passant par l'intérieur de la cuillère.
• Faites de même pour le curaçao bleu.
• Faites admirer les trois couleurs, ajoutez des glaçons, remuez et faites déguster.

Le pari du son voyageur

Un meneur
Des spectateurs
Une fourchette en argent
Un verre à pied en cristal

But

Le pari consiste à transporter le son du pincement des dents d'une fourchette à l'intérieur d'un verre.

Déroulement

• Posez devant vous le verre en cristal, demandez une fourchette en argent.
• Vous tenez la fourchette dents vers le haut en direction du verre, l'extrémité du manche appuyée sur la table.
• Entre deux ongles, pincez les deux dents centrales de la fourchette. Amenez la main au-dessus du verre... et les spectateurs ébahis entendent un écho cristallin.
• Bien sûr, il y a un petit truc : vous avez bien pincé les deux dents de la fourchette, mais lorsque vous portez vos doigts au-dessus du verre, vous posez discrètement l'extrémité du manche sur la nappe. Les vibrations se précipitent les unes contre les autres, en provoquant ce bruit suraigu que l'on peut prendre pour un écho.

• Attention, le petit truc sonore fonctionne mieux s'il n'y a pas de molleton entre la nappe et le bois de la table !

Le pari des trois verres

Un meneur
Des spectateurs
Trois verres à pied

But
Le pari consiste à remettre trois verres en place en trois mouvements et en n'en retournant que deux à chaque fois.

Déroulement
• Premier conseil : allez chercher tout de suite trois verres avant de lire la suite des explications. Vous les avez devant vous ? Alors, allons-y !
• Disposez les trois verres devant vous, le premier à l'envers, le deuxième à l'endroit et le troisième à l'envers. C'est la position de départ qui fonctionne, l'inverse ne marche pas, mais vous n'êtes pas obligé de le dire à celui qui va essayer de refaire le tour devant vous !
• Annoncez que vous allez remettre à l'endroit tous les verres en trois mouvements, et en ne retournant à chaque fois que deux verres !
1. Départ : envers, endroit, envers.
2. : endroit, envers, envers.
3. : envers, endroit, envers.
4. : endroit, endroit, endroit.

Ça y est : vous l'avez bien compris ? Alors exercez-vous, et le jour du mariage, vous aller en bluffer plus d'un !

Les paris stupides

Un meneur
Des spectateurs
Divers accessoires

But
Parier et gagner à tous les coups !

Déroulement
• Puisque nous sommes dans les paris, en voici quelques-uns bien stupides au cours desquels vous aurez plaisir à piéger vos amis, à moins qu'ils ne le fassent eux-mêmes !
• Dans ce cas, soyez beau joueur, car comme le dit La Fontaine, *c'est double plaisir que de tromper le trompeur !*
• « Je te parie un franc que je bois l'intégralité de ton cocktail tricolore sans toucher à ton verre ! » Buvez alors tranquillement le contenu du verre, et donnez-lui sa pièce de un franc avec un grand sourire en ajoutant : « Perdu ! »
• Posez un verre à pied devant vous et annoncez : « Je te parie un franc que je monte dessus ! » Posez la pièce devant vous sur le sol… et montez dessus.
• « Je te parie cent francs que, si tu me donnes dix francs, je te rends cinquante francs. »
• « Je te parie que je dis trois fois le mot Paris avant toi. Pari tenu ? »
• Et demandez aux enfants autour de vous, ils vous en apprendront d'autres !

Deviner un nombre

Un meneur
Un joueur
Des spectateurs
Du papier et un crayon
Une calculette

But
Deviner un nombre.

Déroulement
• Les petits tours de passe-passe plaisent toujours, et un enfant peut les présenter aux adultes après un petit entraînement.

• Demandez à la personne que vous avez choisie d'écrire, sans vous le montrer :
L'année de sa naissance.
Puis l'année où il lui est arrivé quelque chose d'important.
Ensuite l'âge qu'elle aura au 31 décembre de l'année en cours.
Et enfin le nombre d'années écoulées entre le jour du mariage et la fameuse année où il s'est passé quelque chose !
• Confiez-lui votre calculette pour qu'elle fasse l'addition et annoncez-lui sans regarder le résultat : 4 002 (ou 4 004...).
• En fait, le total demandé est toujours égal à deux fois celui de l'année en cours.
• Il y aura sûrement parmi les invités un fort en math qui saura même poser l'équation !

Deviner l'âge de quelqu'un

Un meneur
Un joueur
Des spectateurs
Du papier et un crayon
Une calculette

But
Deviner l'âge de quelqu'un.

Déroulement
• Depuis le temps que tout le monde voulait connaître l'âge réel de l'arrière-grand-mère de la mariée (toujours bon pied bon œil !), ce jeu va être plus qu'une révélation, une révolution ! À moins que l'ancêtre ne se souvienne de l'avoir proposé elle-même dans son enfance. « Je les ai bien eus, tous ces blancs-becs, qui voulaient connaître mon âge ! »
• « Voilà, chère Grand-Mammy, un papier et un crayon. Et je vous promets que nous ne regardons pas ce que vous écrivez !
— Multipliez d'abord votre âge par 3...
— Ajoutez 6...

— Divisez le tout par 3.
— Merci Grand-Mammy. »
Reprenez le résultat, qu'elle vient de griffonner sur le coin du papier. Enlevez 2… et vous avez enfin l'âge qu'a bien voulu vous communiquer l'ancêtre !

Deviner un objet choisi

Un meneur
Son complice
Des spectateurs

But
Deviner un objet choisi par un spectateur sans avoir été présent au moment du choix.

Déroulement
• Ce type de petit tour demande un peu d'apparat : un joueur s'est déguisé en grand sorcier avec un turban sur la tête et une grande cape sur les épaules : « Mesdames et Messieurs, nous avons l'honneur de recevoir ce soir parmi nous le Grand Sorcier Ploum Ploum Tralala, qui a accepté de nous présenter exceptionnellement un de ses tours. Tour fabuleux, longtemps applaudi dans le monde entier, particulièrement par le président des Etats-Unis et par le pape lui-même à l'occasion… »
Bien sûr, c'est un comparse du meneur !
• Pendant qu'il sort de la salle, un objet est choisi, qu'il s'agira de lui faire deviner.
• Le sorcier rentre, et le meneur nomme tout à tour des objets présents dans la salle : « Est-ce celui-ci ? »
• Il suffit aux deux compères de se mettre d'accord sur un code. Le plus simple est que le sorcier et le meneur décident que l'objet choisi est précédé de la présentation d'un objet noir.

Remarques

• C'est un vrai jeu de bonimenteur, l'essentiel est dans la présentation.

• Vous pouvez vous inspirer pour la présentation du fameux sketch de Francis Blanche et Pierre Dac, le Sâr Rabin-Dranah-Duval.

Deviner des mots d'amour

Un meneur
Un complice secret
Des spectateurs
Du papier et des crayons

But

Deviner une série de mots écrits par des spectateurs.

Déroulement

• Précisez que vous êtes un spécialiste de la parapsychologie, et particulièrement en ce qui concerne les mots d'amour.

• Vous avez mis auparavant un complice dans la confidence et déterminé ensemble un mot secret. « Rendez-vous », par exemple.

• Distribuez des morceaux de papier identiques à cinq personnes, dont votre complice.

• Demandez avec conviction et émotion à chacun de noter un mot d'amour. Votre complice notera donc le fameux « Rendez-vous ».

• Ramassez tous ces petits messages soigneusement pliés, en glissant celui de votre complice sous la pile.

• Prenez le premier morceau de papier dans le creux de votre main, sans le déplier, et annoncez fièrement « Rendez-vous ». Ne dépliez pas tout de suite le papier et demandez à l'ensemble des joueurs si une personne a bien choisi ce mot. Votre complice applaudit à grand bruit pendant que vous dépliez le papier en disant : « C'est bien ça ! »

• Il s'agit en fait d'un autre mot écrit et que vous allez pouvoir annoncer ensuite, en mettant dans le creux de votre main, sans le déplier, le papier suivant.

• Vous avez toujours ainsi un mot d'avance ! Faites de même jusqu'à revenir au papier sur lequel était réellement inscrit « Rendez-vous ».

Remarques

• Attention à ne pas laisser aux joueurs et aux spectateurs le temps de vous demander à voir les mots inscrits au fur et à mesure ! Par contre, à la fin du tour, n'hésitez pas à faire vérifier l'ensemble au public.

• Et votre complice doit être insoupçonnable. Choisissez justement parmi les invités une personne à laquelle nul n'aurait pensé, même pas vous !

Deviner des chansons d'amour

Un meneur
Un complice secret
Des spectateurs
Cinq ou six CD

But

Deviner la chanson d'un CD, avant qu'il ne soit enclenché.

Déroulement

• C'est le jeu à préparer en complicité avec le disc-jockey de la soirée. Cela sera l'occasion de faire applaudir les invités pour le professionnalisme de sa prestation (voir conseils musique en annexe), et l'occasion de faire entendre de belles chansons d'amour.

• Vous n'allez, bien sûr, montrer aucune complicité avec votre… complice !

• Tournez le dos au disc-jockey et à la platine. Le disc-jockey a sélectionné cinq ou six albums, qu'il montre au fur et à mesure au public.

• Puis il les glisse dans son appareil et, juste avant que la musique ne démarre, vous annoncerez le titre ; ou mieux encore, vous commencerez à le chanter !

• Le truc est tout bête : vous avez auparavant choisi les cinq CD avec votre complice, en leur donnant un numéro.
Et à chaque numéro (secret) va correspondre une phrase précise.

Exemples

• Pouvez-vous nous mettre un disque ? : CD 1.
• À vous de choisir un nouveau CD : CD 2.
• Passons à une autre chanson d'amour : CD 3.
• Celle-là, tout le monde la connaît : CD 4.
• Je m'écouterais bien un CD : CD 5.

Remarques

Au bout de cinq CD, les autres joueurs vont céder à la tentation en proposant eux-mêmes un autre titre, ce sera celui dont vous avez convenu, le sixième.

• C'est dans tous les cas un très bon exercice de mémoire !

Cartes sur table

Un meneur
Un joueur
Des spectateurs
Un jeu de 20 cartes

But

Deviner deux cartes choisies par un spectateur.

Déroulement

• Voici un tour de cartes très ancien, puisqu'il fonctionnait autrefois avec des mots latins. Le jeu vous demandera un peu d'entraînement et un petit exercice de mémoire, mais le résultat sera surprenant pour plus d'un.

• Prenez les 20 cartes au hasard dans un jeu. Disposez-les en dix paires, faces visibles.

• Demandez alors à un spectateur de choisir mentalement deux cartes, et de bien les retenir.
• Ramassez les cartes.
• Composez un tableau constitué de quatre rangées de cinq cartes.
• Demandez à la personne dans quelle(s) rangée(s) se trouvent les deux cartes retenues.

Il faut ici expliquer le truc

• La disposition du tableau obéit à un ordre précis, suivant un code de quatre mots : RAMER, MOTOS, PIPES et TANIN. Figurez-vous mentalement ces quatre mots rangés les uns sous les autres.
• Vous amorcez les quatre rangées en posant d'abord les deux R de RAMER, puis les deux O de MOTOS, les deux P de PIPES, les deux N de TANIN.
• Puis, vous continuez en passant d'une rangée à l'autre : le A de RAMER et celui de TANIN, le M de RAMER et celui de MOTOS, le E de RAMER et celui de PIPES. Vous terminez par les numéros du croquis ci-joint.
• Si les cartes à identifier sont sur la même rangée, elles sont à la place des deux lettres semblables du mot.
• Si elles sont sur deux rangées différentes, elles sont placées sur les lettres communes aux deux mots.
• Essayez tout de suite, avec d'un côté ce livre et de l'autre votre jeu de cartes, vous verrez : ça marche !

R	A	M	E	R
1	5	6	7	1
M	O	T	O	S
6	2	8	2	9
P	I	P	E	S
3	10	3	7	9
T	A	N	I	N
8	5	4	10	4

Cartes en questions

Un meneur
Un joueur
Des spectateurs
Un jeu de cartes

But

Deviner la carte choisie par un spectateur en orientant ses réponses.

Déroulement

• C'est un jeu de manipulation qui va vous permettre de faire deviner au joueur la carte que vous avez choisie pour lui !

• Sortez du paquet une carte que vous avez préalablement choisie et que vous posez à l'envers sur la table : l'as de cœur que vous pourrez ensuite offrir à la mariée !

• Demandez à votre joueur : « Dans ce jeu, j'ai des cartes noires et des cartes rouges. Quelle couleur choisissez-vous ? » S'il répond : « Noir », dites : « Il reste donc les rouges. Parmi les rouges, il y a les cœurs et les carreaux. Lesquels choisissez-vous ? »

• À vous de continuer en orientant sa réponse en fonction de la carte que vous avez choisie : « Dans les cartes, il y a des chiffres et des personnages… » puis : « Dans les chiffres, il y a les pairs et les impairs… »

• Pour arriver à la carte que vous avez présélectionnée et que vous montrez au joueur interloqué.

Remarques

Ne refaites jamais deux fois ce petit tour de manipulation, il fonctionne sur votre vitesse d'élocution uniquement ! Et puis, cela est vrai pour les jeux comme pour les tours, la surprise est indispensable !

Jeux exceptionnels

Parce que vous avez décidé que votre mariage serait l'occasion d'une grande fête durant plusieurs jours, parce que vous souhaitez que les nombreux enfants invités participent vraiment à la fête, parce que vous aurez à gérer l'hébergement de personnes venant de loin et pendant plusieurs jours…

Pour toutes ces raisons et sans doute bien d'autres, voici deux grands jeux qu'il sera relativement facile de mettre en place. Ils ont tous deux comme principal désavantage de demander un temps de préparation important, mais au bénéfice d'une totale souplesse d'organisation et de participation le jour même.

Ce chapitre se complète d'une suite de gages que vous pourrez utiliser, à bon escient, tout au long de la fête.

Course au trésor

Un nombre indéterminé de joueurs
Un meneur et ses acolytes
Plusieurs photocopies de la liste ci-dessous
De grands sacs plastiques

But

Rapporter un maximum d'objets à partir d'une liste.

Déroulement

• Voilà le grand jeu idéal pour occuper durant une heure ou deux un maximum de personnes. Il suffit seulement de l'avoir préparé au cas où !
• Formez des équipes de 2 ou 3 personnes, adultes et enfants.
• Chaque équipe doit trouver et rapporter le maximum d'éléments figurant dans la liste ci-dessous. Les objets sont présentés et restitués ensuite à leurs propriétaires. Le chiffre indique le nombre de points que vaut chaque élément.
• Donnez les dernières consignes de sécurité ; chacun règle sa montre avant de noter l'heure limite du jeu.
• Prévoyez un jury et un temps de délibération.
• Prévoyez des prix : de la meilleure camaraderie, de l'originalité, du meilleur sens de l'orientation…

Liste de recherches

• Une carte postale en noir et blanc représentant une église. 3
• Le texte d'une chanson de Francis Cabrel. 5
• Un début de tricotage en laine bleue. 5
• Cinq cocottes en papier rouge. 3
• Un œuf de poule frais. 5
• Une plume d'oiseau. 2
• Une bogue de châtaignier. 3
• Un plan du quartier indiquant les boulangeries. 5
• Un quotidien de l'année dernière. 5
• Une mouche vivante. 5

• Un calendrier de 1996. 5
• Un ticket usagé de la Française des Jeux. 3
• Les horaires du prochain train pour Paris à partir de midi. 3
• Un dépliant touristique de la région, en langue anglaise. 4
• Un scoubidou réalisé avec des fils de réglisse. 5
• Une goutte de pluie. 5
• Le prix pour envoyer un colis de 1 kg à Ouagadougou, en recommandé. 5
• Un mouchoir en tissu à carreaux. 3
• Trois objets bleus pouvant tenir dans la main. 5
• Cinq boîtes à chaussures vides. 5
• Trois timbres avec des couleurs différentes. 3
• Le titre de 15 albums de Tintin. 2
• Une mèche de cheveux n'appartenant pas à l'un des joueurs. 5
• Un membre de l'équipe avec un vêtement violet. 2
• Deux personnes nées le même jour de la même année. 5
• Un clou de 10 cm, tordu. 3
• Une rose jaune fanée. 2
• Un ticket de cinéma. 2
• Une photo comportant 3 membres de la même famille. 4
• Un devoir de math corrigé. 2
• Une grosse clef de vieille porte. 3
• Une dent séparée de son support. 5
• Un chèque de 10 centimes à l'ordre de l'organisateur du jeu. 5
• Quatre sous-bocks de bière. 3
• Un glaçon. 5
• Un ticket de métro avec réduction. 2
• Une déclaration d'amour en 25 mots adressée à la personne de votre choix. 5
• Un ange. 5
• Un biscuit pour chien. 4
• Le nom des prochains mariés annoncés à la mairie. 5
• Cinq autocollants différents. 3

• La définition exacte et complète du mot « coquecigrue ». 5
• La traduction de la phrase suivante : *God dag. Jag heter Peter.* 3
• Une puce et son dresseur. 4
• Le mot « anticonstitutionnellement » écrit avec des lettres découpés dans un magazine. 5
• Les vrais noms de Johnny Hallyday et de Barbara. 5
• Un dessin imprimé ou une photo de la tour Eiffel. 5
• Un tiroir. 3
• Un roulement à bille. 2
• Une feuille d'éphémérides. 2
• Un collier de trombones. 3
• Une pomme cuite. 4
• Des poils de brosse à dents. 2
• Un bouchon de champagne et sa capsule. 3
• Une liste de 15 autres objets que l'on pourrait proposer pour compléter cette liste. 10

Remarques

• Le premier intérêt de cette liste est d'être adaptable, telle quelle, à n'importe quel lieu. Le second est de pouvoir être rapidement mise en place.
• Prenez le temps de vérifier les questions qui nécessitent des réponses précises, ou ne les conservez pas !
• Le plus long sera de constituer les groupes. Si les participants sont nombreux, il est plus efficace de se mettre à plusieurs pour constituer les groupes et noter le nom des participants.
• Expliquez ensuite le jeu. Plusieurs personnes peuvent s'en charger simultanément plutôt qu'une seule qui élève la voix et que l'on a du mal à entendre. Distribuez enfin les listes à chaque équipe.
• Pendant que les joueurs cherchent, il vous restera du temps pour installer le retour et l'accueil des concurrents. Le plus simple est de prévoir pour chaque équipe une table où seront déposés les objets de la récolte. Les membres du

jury feront un premier tour de vérification avant la présentation collective.

Variante

• Limiter l'objet de la recherche à la salle de fête ou à ses alentours. Les objets seront plus petits : deux dragées roses, un pétale de tulipe, la trace du baiser de la mariée sur le carton du menu, les prénoms des frères et sœurs du marié…

Jeu de l'oie des mariés

Un nombre indéterminé de joueurs
Un meneur et ses acolytes
Un plateau de jeux et ses accessoires
Des chutes de papier cartonné de différentes couleurs, de la taille d'une carte à jouer
Une grande feuille de carton
Une pelote de ficelle de charcutier
Une perforatrice
Des œillets
Un gros crayon feutre
Un tube de colle
Une paire de ciseaux
Plusieurs dés
De quoi faire des pions
Vos fiches de questions réalisées à partir de toutes celles que l'on retrouve dans ce livre

But

Être le premier à atteindre le but du jeu en ayant bien répondu aux questions.

Déroulement

• Voici un autre grand jeu qui demandera de la préparation mais fera un magnifique souvenir, particulièrement aux enfants.

• Le principe est celui du jeu de l'oie ordinaire que l'on va thématiser « mariage ».

• À chaque case du jeu va correspondre une question qu'il faut trouver dans un périmètre déterminé, à l'intérieur ou à l'extérieur de la salle des fêtes.
• Pour les questions, il y a deux façons de procéder : soit la question, ou la consigne de l'épreuve, est écrite au dos de la fiche, les meneurs possédant une liste numérotée des réponses ; soit il est indiqué seulement le type de questions ou d'épreuves, et chaque meneur choisit en fonction du groupe, dans ces différentes possibilités.
• Un jeu de l'oie comporte normalement 62 cases, la moitié suffira. Sélectionnez des couleurs, 6 maximum. À chacune correspondra un type de questions ou d'épreuves (voir la liste des gages page 213). Un quart seulement sera utilisé pour une partie !
Prévoyez deux fois 31 cartes. Numérotez-les en double.
• Collez les premières en escargot sur la grande feuille de carton : le plateau de jeu.
• Faites un trou avec la perforatrice sur chacune des autres. Collez un œillet pour solidifier. Ajoutez un grand bout de ficelle à chacune.
• Embauchez deux ou trois personnes pour vous donner un coup de main. Les questions vont être suspendues dans tout le périmètre. Prévoyez également un meneur derrière la table de jeu pour contrôler la progression des équipes. Les autres meneurs se dispersent avec leur matériel. Aux joueurs de venir les trouver : « La question 4, c'est toi ? Non, ce n'est pas moi, je crois que c'est Yvette, la jolie dame avec un grand chapeau rouge ! »

Remarques

• Précisez bien aux joueurs qu'il ne faut pas détacher la question, mais simplement la lire avant de chercher la personne à qui l'on va répondre ; et que les membres d'une équipe ne doivent pas se séparer.
• Chaque meneur a devant lui une poignée de graines ou de noyaux. Il en donne un quand l'équipe a trouvé la

réponse, c'est une preuve pour celui qui est derrière la table de jeu.

• Il faut tomber pile sur la dernière case pour gagner.

• Ce grand jeu de l'oie est en priorité pour les enfants, mais les adultes volontaires auront sans doute beaucoup de plaisir à y participer. Prévoyez la difficulté des épreuves et des questions en conséquence.

Des gages sans aucun matériel

• Inviter pour un slow quelqu'un avec qui l'on n'a pas encore dansé.

• Imiter la poule qui pond un œuf ou le cri du symbole de notre République, gestes à l'appui !

• Reproduire dix cris d'animaux reconnaissables.

• Avec un autre joueur, mimer le toréador et le taureau.

• Effectuer un parcours à cloche-pied.

• Lever le genou droit, poser son coude gauche dessus et faire un pied de nez. Tenir 1 minute dans cette position.

• Faire le poirier les pieds contre le mur.

• Faire la brouette à deux.

• Faire le tour de la table en aboyant ou en miaulant.

• Toucher le bout de son nez avec sa langue.

• Chanter la « Marseillaise » sur l'air de « Il était un petit navire » ou réciproquement.

• Danser la danse du ventre.

• Danser la mort du cygne avec grâce.

• Deviner l'âge de cinq personnes présentes.

• Trouver cinq éléments d'une même couleur visibles par tous les joueurs.

• Faire une grimace sans utiliser les mains.

• Réciter à l'envers la table de multiplication par 9.

• Marcher après avoir interverti ses chaussures ou sur des talons hauts (à sa taille !) pour un homme.

• Prendre pendant une minute et sans bouger la pose de la *Vénus de Milo*, de la *Joconde* ou du *Penseur* de Rodin.

• Donner cinq insultes du capitaine Haddock : Moule à gaufre, Tonnerre de Brest, Australopithèque…
• Donner son surnom d'enfance et expliquer pourquoi (ou l'inventer).
• S'arracher un cheveu et faire un nœud avec.
• Donner une recette de cuisine.
• Citer trois vers d'une fable de La Fontaine.
• Commenter en direct l'arrivée du Tour de France dans la salle de mariage.
• Faire une bise sonore à la personne de son choix.
• Chanter « Frère Jacques » en pleurant, puis en rigolant.
• Raconter une histoire drôle.
• Serrer la main de toutes les personnes présentes en disant *Bonjour Madame* aux messieurs et *Bonjour Monsieur* à ces dames.
• Appuyer la tempe droite et le pied droit contre le mur, et essayer de lever la jambe gauche.
• Faire placer la victime dans la position de coureur, les deux talons touchant le mur. Lui laisser prendre le départ. L'arrêter et lui poser la question : « De quel pied êtes-vous parti ? » Lui faire recommencer jusqu'à ce qu'il réponde : « Du pied du mur ! »
• En se tenant à cloche-pied sur le pied droit, embrasser l'extrémité de son soulier gauche.
• Réciter l'alphabet à l'envers de Z à A.
• Réciter l'alphabet en disant « Le A sort du B pour prendre le C… » et attendre que l'on arrive à la lettre P, pour que la victime dise : « Le P sort du Q pour prendre l'R ! »
• Se frotter le ventre en cercle avec la main droite et simultanément se frapper sur la tête avec la main gauche. Intervertir.
• Traverser la pièce comme un automate.
• Trouver le nombre exact de lettres d'un mot que l'on énonce, sans compter sur ses doigts.

Des gages avec un peu de matériel

- Transporter un verre d'eau rempli à ras bord. Et accroupi.
- Éplucher un fruit en faisant une seule épluchure.
- Composer un numéro de téléphone au hasard et faire une déclaration d'amour au destinataire sans qu'il raccroche.
- Chanter avec de l'eau dans la bouche.
- Continuer la chanson d'un disque que l'on arrête soudain.
- Écouter une chanson dans un casque et tenter d'en chanter une autre simultanément.
- Inventer le texte d'un télégramme en utilisant les lettres composant le prénom de l'un des mariés.
- Faire un pliage dans une serviette (en papier ou en tissu).
- Remplir sa bouche de bonbons et faire une déclaration d'amour.
- Boire le verre du voisin et annoncer ses pensées.
- Chanter en play-back.
- Poser une assiette en carton sur son front et écrire son prénom.
- Découper un cœur dans une serviette ou une nappe en papier avec la « mauvaise » main.
- Faire une pyramide la plus haute possible avec des sucres en morceaux.
- Enfiler une chaussette sur chaque main et faire un nœud avec une ficelle.
- À genoux, ramasser un foulard posé devant soi avec les dents en tenant dans chaque main, les bras écartés, un verre à pied rempli d'eau.
- Un cercle est tracé sur le sol, on y pose une dragée qu'il faut attraper avec une petite cuillère.
- Allumer une bougie avec des allumettes (ou allumer une cigarette) en étant assis sur une bouteille couchée.
- Se tenir derrière une chaise, talons joints, les mains sur le dossier. S'asseoir sur la chaise sans lâcher le dossier et sans bouger les pieds.
- Distribuer les quatre valets d'un jeu de cartes, demander

au joueur de lire le nom de chacun. On place en dernier Lancelot… et on lui lance alors un verre d'eau !

• Trouver le moyen pour arriver à boire un verre d'eau sans y mettre le nez (avec une paille ou la tête renversée en arrière, on verse l'eau dans la bouche).

L'auteur de ce livre décline toute responsabilité pour la mauvaise utilisation qui pourrait être faite de tous ces gages plus ou moins idiots. Mais recevrait avec plaisir, par l'intermédiaire de son éditeur, d'autres gages encore plus distrayants !

Annexes

Nous avons essayé tout au long de ce livre de vous donner le maximum d'exemples pour chacun des jeux proposés, vous permettant ainsi d'entrer par n'importe quelle page et de rapidement comprendre le jeu présenté.

Mais chaque jeu ne trouvera sa force et son dynamisme que si vous le personnalisez. Votre fête ne doit ressembler à aucune autre, et c'est pour cela que nous vous proposons dans ce chapitre différents outils que vous pourrez vous approprier pour ajouter un peu d'épices à votre sauce.

Devinettes et énigmes

- Au cours de cette longue journée, il est possible qu'il y ait un moment inoccupé entre la cérémonie et le vin d'honneur, en attendant l'heure de disponibilité de la salle…
- Et puis, il faut toujours prévoir l'imprévu, c'est pour cela que l'on vous a demandé de donner un coup de main !
- Voici donc quelques énigmes et questions que vous aurez sélectionnées et reproduites sur un papier en autant d'exemplaires qu'il y a d'invités (ou de voitures). Vous pourrez les sortir à l'occasion et les proposer aux invités qui n'ont rien d'autre à faire sur le moment que de réfléchir à une réponse.
- Les résultats seront proclamés le soir, au moment où tout le monde aura retrouvé ses esprits, avec un joli cadeau en récompense !
- Gardez pour vous une feuille avec les réponses et n'oubliez pas de prévoir un stock de crayons (vous trouverez sûrement à proximité de chez vous ou dans un catalogue de vente par correspondance le moyen de faire graver dessus les prénoms des mariés et la date des noces !).

Le sphinx

Dans les histoires, on peut être à la fois bourreau et cultivé, comme dans l'*Œdipe Roi* de Sophocle où le Sphinx pose cette énigme très connue : « Quel est l'être qui, doué d'une seule voix et seul parmi tous les êtres, a successivement quatre pieds, deux pieds, trois pieds et qui a d'autant moins de force qu'il n'a plus de pieds ? »
Réponse : l'homme aux différents âges de sa vie.

Événement

« Plus belle que l'amour,
Je n'avais pas un jour
Que j'épousai mon père,
Qui m'avait faite sans mère.
Au bout d'un an,

J'eus un enfant.
Admirez ma destinée :
Je mourus sans être née. »
Réponse : Ève.

Avis
Une nouvelle énigme que l'on trouve dans *Zadig* de Voltaire : « Quelle est la chose qu'on reçoit sans remercier, dont on jouit sans savoir comment, que l'on donne aux autres quand on ne sait où l'on en est et que l'on perd sans s'en apercevoir ? »
Réponse : la vie !

La fausse pièce

Le père d'Éric est bien embêté. Il a donné à son fils une fausse pièce de deux euros qu'il a malencontreusement rangée dans son porte-monnaie. Comment la retrouver parmi les neuf pièces de deux euros qui se ressemblent toutes ? Son père lui a seulement dit que la fausse pièce était un petit peu plus légère. « Pas de problème, lui répond Éric, il me faut juste une balance à plateaux et, en deux pesées, je te la retrouve ! » On peut chercher la réponse avec du papier et un crayon en partant d'hypothèses : « Si je pose… »
Réponse
• Éric pose trois pièces sur chaque plateau de la balance. Les deux plateaux sont en équilibre, donc la fausse pièce ne se trouve pas parmi ces six pièces.
• Éric prend alors deux pièces parmi les trois qui restent.
• Si les deux plateaux sont en équilibre, la fausse pièce est celle qu'il n'a pas pesée. Si, au contraire, un des deux plateaux est plus léger, c'est qu'il porte la fausse pièce.
• « D'accord, lui dit son père, mais si la première pesée n'est pas équilibrée ?
— Cela veut dire que la fausse pièce est sur le plateau le plus léger. Tu prends deux des trois pièces de ce plateau et tu les pèses de nouveau. S'il y a équilibre, la fausse pièce est celle

qui n'est pas pesée, sinon c'est celle qui est sur le plateau le plus léger. »

Histoire de partage

Monsieur Marabout vient de donner à ses trois neveux dix-sept livres mais il précise que Matthieu, l'aîné, aura la moitié de ceux-ci, Julien, le cadet, le tiers et Liza, la benjamine, le neuvième. Comment faire ?

Réponse

Matthieu va voir sa mère et lui emprunte un livre. Ils ont ainsi dix-huit livres. Matthieu en prend neuf, Julien six et Liza deux. Il en reste un que Matthieu rend à sa mère.

Les dragées

Sept enfants se partagent un paquet de dragées, quand arrive Julia. Le plus sympa des sept propose qu'elle reçoive elle aussi sa part de dragées. C'est alors que commencent les difficultés. Les dragées ont déjà été partagées et chacun doit donner un peu de sa part à Julia. Comment faire ?

« C'est simple, dit Julia, en toute bonne foi, vous êtes sept, chacun va me donner un septième de ses dragées et c'est juste.
— Mais pas du tout, répond Lara. Ce mariage, c'est une belle chose, la solidarité aussi, mais il faut être juste. Avec ton truc, on est perdant. » Chacun défend son point de vue, pourtant Lara a raison. Pourquoi ?

Réponse

Julia se trompe en effet. Avec son arrivée, les enfants sont au nombre de huit et non plus sept. Chacun a droit à 1/8. Avec son système, Julia aurait bien les 7/7 mais les autres n'auraient plus que les 6/7. Il faut donc diviser le nombre total de dragées par huit et faire ensuite le partage.

Faire un petit discours

Prendre la parole au milieu d'un groupe de personnes même connues n'est pas toujours facile. Présenter un jeu, ou lire un discours devant une assemblée importante, se révèle un exercice beaucoup plus impressionnant. La parole qui reste coincée dans la gorge, les sueurs froides, le geste maladroit, ou la voix qui lâche en pleine démonstration, tout cela est fini ! Comme toute animation, un discours, ça se prépare, c'est le seul moyen d'être à l'aise et de convaincre votre auditoire.

Faites un plan

• L'improvisation géniale n'existe pas, les plus grands comiques comme les hommes politiques travaillent sur un canevas soigneusement préparé quelques jours auparavant. Et cela ne sert à rien de se dire : « Je vais être complètement nul, je n'y arriverai jamais ! » Les quelques conseils qui suivent vous aideront à bien faire votre message. Votre auditoire n'attend qu'une chose : être intéressé et surpris.

• Faites un plan précis : listez les différents points, ordonnez-les logiquement ; prévoyez ensuite l'introduction (qui servira souvent à vous présenter et à préciser la raison de votre intervention) ; et n'oubliez pas une conclusion (ouverte, si possible).

• Notez quelques exemples personnels, quelques métaphores ou citations que vous pourrez ou non glisser dans votre discours.

• Rédigez votre intervention : pas sous la forme d'un flot continu, impossible à rattraper si vous perdez une ligne. Balisez avec des retours à la ligne, des couleurs, des chiffres. Construisez votre outil, et numérotez vos pages.

• Au bout de deux ou trois interventions en public, vous aurez vos petits trucs : texte manuscrit ou non, fiches de couleurs, sous plastique…

• Soignez votre langage en utilisant les termes d'un vocabulaire ni trop soutenu ni trop familier.

Lisez-vous à voix haute

• Vous allez vous rendre compte des phrases trop compliquées, des suites de mots difficiles à prononcer.
• Mettez-vous les mots bien en bouche. Regardez-vous dans votre miroir, en train de parler. Enregistrez-vous sur un petit magnétophone. Mais n'apprenez pas votre discours par cœur.

Soignez votre confort

• Adaptez votre tenue à votre public et à ce que vous êtes naturellement. Ne jouez pas au technocrate si une veste vous engonce et si une cravate vous serre. Soyez vous-même, propre et soigné.
• Ne portez donc aucun vêtement qui puisse vous serrer la taille ou les pieds et vous empêche de respirer. Pensez aussi qu'il peut faire très chaud dans la pièce.
• Mangez léger, environ une heure avant votre intervention. Rien n'est pire qu'un ventre qui gargouille ! Un morceau de sucre, un bout de chocolat peut vous donner du tonus avant de commencer. Évitez l'alcool, les boissons gazeuses, le café, qui empâtent la bouche. Prévoyez un peu d'eau avant de commencer.

Dans 5 minutes, c'est à vous !

Le trac arrive, c'est le moment de ne pas perdre vos moyens.
• Direction toilettes :
Un petit pipi et vérification : les dents sont-elles propres ? Pas de taches ? Les cheveux ? Le maquillage ? La braguette et les boutons sont-ils bien fermés ? La montre ne vous serre-t-elle pas trop ? Le collier, les bracelets ou les clés dans la poche ne vont-ils pas faire de bruits parasites ?
• Respirez ! Profondément, longuement en vous concentrant et en gonflant le ventre.
• Parlez de tout et de rien ou chantez ! Cela vous éclaircira la voix et vous détendra.

Prenez la parole

• Un peu d'humour pour commencer : une petite anecdote, un bon mot vous permettront de vous détendre et de tester la salle. S'ils rient, c'est bon, vous pouvez devenir sérieux. S'ils restent de glace, enchaînez, ils attendent d'être convaincus.
• Regardez plutôt le fond de la salle pour commencer, vérifiez que tout le monde vous entend bien, parlez doucement.
• Variez le ton. Pour une femme, parlez plus bas, pour un homme un peu plus haut. Jouez avec le rythme, marquez des pauses, ne laissez pas redescendre vos fins de phrases. Vous bafouillez soudain ? Dites-le, reprenez votre discours et repartez.
• Ne restez pas « piquet planté ». Bougez les mains pour appuyer vos phrases, déplacez-vous, mais sans jamais perdre l'attention de votre auditoire. Un tableau peut vous aider, s'il est visible par tous.
• Souriez !
• Concluez avec un peu d'humour et remerciez le public de son attention.

Critiquez-vous

L'idéal est de se faire filmer ou enregistrer pendant son intervention. La première vision ou écoute sera rude ! Vous allez découvrir vos tics oratoires, vos gestes parasites mais aussi votre habileté ! Cela vous permettra de vous améliorer. À défaut, demandez à un ami ou un collègue de vous observer sans complaisance et de prendre des notes durant votre prestation.

À quoi ça rime ?

• Les mariés vous ont demandé de préparer un petit discours. Vous avez pris soin de demander les prénoms exacts de tous ceux que vous allez nommer ; il vous faut maintenant quelques rimes riches pour construire votre petit compliment. La liste suivante est là pour vous aider. Vous avez les rimes, il ne vous reste plus qu'à trouver le début des vers !

• Mettez un peu d'émotion, beaucoup d'humour et soyez court !
• Cette liste de rimes pourrait être l'occasion de petites devinettes : laissez les invités trouver le dernier mot de chaque vers !

avec –our
abat-jour
alentour
arrière-cour
basse-cour
belle-de-jour
bonheur-du-jour
calembour
carrefour
concours
contour
contre-jour
détour
discours
faubourg
humour
labour
parcours
petit-four
pompadour
pour
retour
secours
séjour
tambour
topinambour
toujours
troubadour
vautour
velours

avec –age
abattage
affûtage
ajustage
alpage
apprentissage
avantage
bachotage
ballottage
bizutage
bruitage
chipotage
clouage
découpage
dérapage
déshabillage
dopage
équipage
escamotage
laitage
papotage
parachutage
péage
pelotage
pliage
pourcentage
rattrapage
tapage
télescopage
triage

Quelques textes coquins

En-tête

On attribue ces lettres à George Sand et Alfred de Musset. Pourquoi pas ? Mais nul n'en possède la preuve.
C'est un texte qui prend toute sa saveur lorsque l'on déguste uniquement la tête de chaque vers et pas la queue.
Chacun trouvera la présentation qui lui semble la plus appropriée, le principe étant le même que pour celui des contrepèteries (voir page 110) : susciter un autre regard, une autre écoute, mais ne pas l'imposer. Et la déguster à plusieurs dans un sourire complice !

La lettre de Musset :
Quand je mets à vos pieds un éternel hommage,
Voulez-vous qu'un instant je change de visage ?
Vous avez capturé les sentiments d'un cœur
Que pour vous adorer forma le Créateur
Je vous chéris, amour, et ma plume en délire
Couche sur le papier ce que je n'ose dire
Avec soin de mes vers lisez les premiers mots :
Vous saurez quel remède apporter à mes maux.

Et la réponse plus courte de George Sand :
Cette insigne faveur que votre cœur réclame
Nuit à ma renommée et répugne à mon âme.

Correspondances secrètes

La première déclaration peut être lue par chaque membre de la famille, et une ligne sur deux uniquement par la belle demoiselle. L'auteur est ici anonyme.
Mademoiselle,
Je m'empresse de vous écrire pour vous déclarer
Que vous vous trompez beaucoup si vous croyez
Que vous êtes celle pour qui je soupire.

Il est bien vrai que pour vous éprouver
Je vous ai fait mille aveux. Après quoi
Vous êtes devenue l'objet de ma raillerie. Ainsi
Ne doutez plus de ce que vous a dit ici celui
Qui n'a que de l'aversion pour vous, et
Qui aimerait mieux mourir que de
Se voir obligé de vous épouser, et de
Changer le dessein qu'il a formé de vous
Haïr toute sa vie, bien loin de vous
Aimer, comme il vous l'a déclaré. Soyez donc
Désabusée, croyez-moi ; et si vous êtes encore
Constante et persuadée que vous êtes aimée,
Vous serez encore plus exposée à la risée
De tout le monde et particulièrement
De celui qui n'a jamais été et ne sera jamais
Votre serviteur.

La réponse de la demoiselle
Beaucoup moins prude que les textes précédents, on veillera cependant en la recopiant de bien respecter les coupures de mots en bout de lignes pour que le double sens ne perde pas de sa trivialité.

Cher Monsieur,
Je suis très émue de vous dire que j'ai
bien compris l'autre jour que vous aviez
toujours une envie folle de me faire
danser. Je garde le souvenir de votre
baiser, et je voudrais que ce soit
là la preuve que je suis follement aimée
par vous. Je suis prête à vous montrer mon
affection toute désintéressée et sans cal-
cul, et si vous désirez me voir
vous dévoiler mon âme
toute nue, daignez me faire une visite.
Nous causerons entre amis, tendrement,

je vous prouverai que je suis la femme
exquise en qui vous pouvez souhaiter
la plus profonde, et la plus étroite
amitié, en un mot, la fidèle épouse
dont vous puissiez rêver puisque votre
âme est ennuyée, pensez que la solitude que j'ha-
bite est bien longue et bien dure et
pénible, sachez que la vie n'est pas
attrayante. Accourez donc et venez me la
faire oublier car à l'avenir, je veux me sou-
mettre.

Un dernier de Voltaire

Voici les premiers vers d'un texte méconnu de l'auteur de *Zadig*, qui porte si bien son nom de gaillardise !
« Je cherche un petit bois touffu
Que vous portez aminthe,
Qui couvre, s'il n'est pas tondu,
Un petit labyrinthe.
Tous les mois, on voit quelques fleurs
Colorer le rivage ;
Laissez-moi verser quelques pleurs
Dans ce joli bocage… »

Et un texte à susurrer

Il aurait été dommage au milieu de toutes ces déclarations de ne pas citer ce texte si facile à susurrer de l'insatiable sérénissime Alphonse Allais, intitulé *Complainte amoureuse* :

Ah ! fallait-il que je vous visse
Fallait-il que vous me plussiez,
Qu'ingénument je vous le disse
Qu'avec orgueil vous vous tussiez ;
Fallait-il que je vous aimasse
Que vous me désespérassiez

Et qu'en vain je m'opiniâtrasse
Et que je vous idolâtrasse
Pour que vous m'assassinassiez !

D'accord, ce n'est pas facile à placer dans une conversation. Tant mieux, ce mariage eût été l'occasion inespérée pour que vous le plaçassiez.

Des cadeaux en commun

Les boutiques de mariages, comme les grands magasins, rivalisent de propositions pour les listes de mariage, mais il arrive aussi qu'une bande de copains, des membres proches de la famille souhaitent préparer des cadeaux plus personnels. Voici quelques suggestions supplémentaires :

Jouez avec les photos

• Préparer une exposition des photos de chaque marié depuis leur naissance. Prévoir des espaces en blanc dans lesquels les invités pourront noter leurs souvenirs : « Tu te rappelles, Frédéric ? C'était à l'occasion d'une colo avec des gamins de la région grenobloise, à cette époque tu n'avais pas encore rencontré Joëlle, mais tu faisais déjà très bien la cuisine. »
• Une autre idée pour des photographies inattendues ou plus spontanées : installez un petit coin en studio photo avec éclairage, tenture, chaise et bouquets de fleurs. Disposez plusieurs appareils jetables à disposition des invités et laissez faire. Le résultat sera sans doute très étonnant !
• Vous pouvez aussi, entre la cérémonie et la soirée, choisir la meilleure photo et la faire reproduire sur des T-shirts. C'est un cadeau original pour tous les invités et relativement peu coûteux grâce à toutes les boutiques proposant ce service. La meilleure solution est de ne choisir que des grandes tailles. L'utilisation d'un polaroïd ou d'un appareil numérique est souvent la solution la plus rapide, mais il est pos-

sible de faire la même chose avec une reproduction du faire-part ou deux photos des mariés quand ils étaient enfants.

Lancez des ballons

Pas de vraie fête sans ballons ! Pour les gonfler facilement, étirez-les bien avant et utilisez un gonfleur à matelas pneumatique. En plus de l'utilisation pour de nombreux jeux proposés dans les pages précédentes, pourquoi ne pas faire un lâcher de ballons dans l'après-midi ou à la sortie de la cérémonie ? Louez une bonbonne de gaz hélium. Préparez des cartes avec votre adresse et des messages d'amour (voir citations pages 98) que vous attacherez une à une à chaque ballon.

Lancez un feu d'artifice

Ils ne sont pas réservés aux fêtes nationales et aux artificiers professionnels. Par contre, il est indispensable de se renseigner auprès des pompiers pour toute autorisation et règle de sécurité. On peut aujourd'hui en acheter de petits dans les magasins de farces et attrapes. Il en existe également que l'on peut lancer en plein jour, mais rien ne remplacera ceux que l'on tire dans l'obscurité pour conclure une fête.

Offrez votre voix

En commençant plusieurs semaines avant le jour J, faites le tour de la famille et des copains. Chacun enregistre spécialement sur une cassette un petit texte de son choix à destination des mariés. C'est un merveilleux cadeau, unique, qu'ils pourront écouter tranquillement jusqu'à leurs noces de platine. Pour les personnes qui sont vraiment loin, on peut faire des enregistrements très corrects par téléphone. Vous pouvez compléter celui-ci au dernier moment par le discours du maire ou le sermon du curé. Demandez à chaque personne d'énoncer son nom après son enregistrement.

Laissez vos mots

Une housse de couette « livre d'or », c'est encore une idée de cadeau collectif que l'on peut préparer avant le mariage et finir le jour même. Achetez une housse de couette blanche et demandez à chaque invité d'y apposer sa signature. Le résultat sera magnifique, chacun posera sa petite phrase ou son petit dessin en jouant avec les couleurs des crayons feutres spécial tissu.

Tenez tête !

Il est difficile d'imposer aux invités de se déguiser pour l'occasion, bien que, quelquefois… ! Voici, par contre, une suggestion facile à adapter : chaque invité a comme consigne de venir avec le couvre-chef de son choix : képi, canotier, casquette, capeline, bonnet de ski… et l'on pourra élire le plus beau chapeau de la soirée !

Offrez un petit cadeau à chacun

Les mariés peuvent avoir envie de ne pas être les seuls à recevoir des cadeaux. Ils peuvent donc proposer que chaque invité apporte un petit cadeau d'une valeur de 20 F maximum et soigneusement emballé. Rassemblés dans une grande panière, ils seront distribués aux invités assis. Chacun en découvrira le contenu et recherchera le donateur.

Célébrez des anniversaires de mariage

Renseignez-vous à l'avance sur les dates de mariage de vos principaux invités ; il est fort possible qu'un ou deux couples fêtent dans l'année un anniversaire de leur propre mariage. Plus les noces sont lointaines, plus il est indispensable de marquer le coup. En leur faisant la surprise jusqu'au dernier moment.

La coutume veut qu'on attribue à chaque anniversaire une matière. Le principe est d'offrir un objet dans la matière annoncée.

La liste subit quelques variations suivant les régions.

1 an,	papier
2 ans,	coton
3 ans,	cuir
4 ans,	lin
5 ans,	bois
6 ans,	sucre
7 ans,	laine
8 ans,	bronze
9 ans,	terre cuite
10 ans,	étain
11 ans,	acier
12 ans,	soie
13 ans,	dentelle
14 ans,	ivoire
15 ans,	cristal
20 ans,	porcelaine
25 ans,	argent
30 ans,	perles
35 ans,	corail
40 ans,	rubis
45 ans,	saphir
50 ans,	or
55 ans,	émeraude
60 ans,	diamant
70 ans,	fer
75 ans,	platine
80 ans,	chêne

En avant la musique !

Pas de fête réussie sans une place importante donnée à la musique et aux danses. Les traditions ont encore la peau dure, et il sera difficile d'échapper à la Marche nuptiale, à l'Ave Maria avant, pendant ou après la cérémonie ! Mais les changements culturels et religieux de notre société apportent du nouveau, et c'est tant mieux !

Vous n'échapperez pas non plus aux standards que chaque génération va exiger. Alors, bon courage, et en avant la musique !

Engager un disc-jockey professionnel ?

• Cela semble un choix incontournable, tant il est vrai que ce poste nécessite expérience et matériel coûteux et professionnel. Mais il arrive aussi que ce choix se révèle désastreux.

• Pour ne pas prendre de risques, vous devez impérativement avoir déjà assisté à une soirée organisée par la personne qui aura en charge de dynamiser l'un des plus beaux instants de votre vie. Tous les styles sont dans la nature ! Il y a le DJ qui parle sans cesse avec une lourdeur incroyable ; celui qui mettra toute la soirée de la musique de « boîte » qui fera boum boum très très fort ; ou encore celui qui fera la sourde oreille aux demandes des invités. Tous ceux-là risquent de gâcher ce qui reste de votre fête !

Ne faites donc confiance qu'à ce que vous (ou un ami ayant les mêmes goûts) aurez entendu et vu.

• Par ailleurs, il faut savoir qu'une telle prestation coûte très cher (environ 3 000 F) et se termine souvent à une heure déterminée.

• Au vu de tout cela, il vaut parfois mieux bombarder un ami du titre de « didjé » à la condition expresse de ne pas badiner : donnez-lui les moyens de cette responsabilité. C'est-à-dire du temps pour préparer et de l'argent pour louer un bon matériel.

Prendre soi-même en charge l'animation musicale ?

• Il s'agit d'un poste très envié et honorable… Mais également très exposé ! Le fait de travailler avec un copain ne doit pas empêcher d'être très exigeant sur la qualité de la prestation, donc de sa préparation !

Votre soirée sera réussie si :

• Tout le monde a pu danser : les vieux, les jeunes, les timides, les valseux, les hard-rockers, les folkeux… !

Par voie de conséquence, ils auront fait connaissance ! Surtout si vous proposez des danses qui se pratiquent en couple, mais aussi en farandole et non tout seul dans son coin !
• Si vos musiques sont entraînantes et très variées : pas plus de 3 morceaux de même style à la suite. Si vous arrivez à ce que chacun danse sur un autre rythme que celui auquel il est habitué, vous aurez réussi un tour de force mêlant tolérance, créativité et bonheur !

Les qualités d'un bon disc-jockey

• Une bonne organisation personnelle.
• Une grande ouverture d'esprit sur le plan musical.
• Des nerfs d'acier pour entendre ce que chacun ne saura manquer de lui faire remarquer (aimablement ou non) sans pour autant céder à des pressions qui le feraient sortir de sa mission de servir tous les participants.
• Ne jamais perdre de vue qu'une seule personne mécontente vient se manifester pour trente qui sont en train de se faire plaisir mais ne le disent pas ! Si un morceau demandé par un invité ne marche pas, inutile de le laisser jusqu'au bout. Votre vrai juge, c'est la piste de danse : sont-ils nombreux ? diversifiés ? ont-ils l'air d'y prendre plaisir ?

Préparer et gérer la soirée

• Vous pouvez recueillir les goûts des participants… et leurs disques un mois avant le grand jour !
• Prenez le temps d'en faire l'inventaire précis, en établissant une liste par style (avec une cotation de 1 à 3 étoiles pour chaque morceau « dansant »).
• De cette manière, le soir, lorsque cela marchera tip-top, vous prendrez sereinement le risque de mettre un morceau « une étoile ». Et si l'ambiance tombe, pas de stress : vous sortirez un « trois étoiles » !
• Prévoyez la façon dont vous démarrerez la soirée, parlez-en avec les mariés. Les dix premiers morceaux doivent être déterminés avec eux.

• Donnez-vous le temps de l'installation : tout doit être prêt et testé, tranquillement, en début d'après-midi.
• Une fois la soirée entamée, ayez en permanence, ouverts sur la table, deux ou trois CD imparables, prêts à relancer une ambiance qui tomberait.
• Les invités ont souvent de bonnes idées. Acceptez-les, pré-écoutez au casque les morceaux qu'ils vous proposent, puis lancez-les !

Quel matériel utiliser ?

Pour la musique

• Ne badinez pas ! Ne prenez pas le risque d'abîmer une chaîne hi-fi en la faisant tourner toute une nuit à fond. Avec tous les potes qui montent le volume à fond, peu d'enceintes acoustiques et d'amplis résistent !
• De plus, il faut de la puissance et de la souplesse. Donc, louez au minimum (comptez environ 1 000 F) :
— Un ampli de 100 à 200 W avec ses enceintes acoustiques capables de sortir de bons aigus : les basses puissantes et sourdes sont épuisantes.
— Une table de mixage permet d'éviter les blancs entre les morceaux, c'est fondamental ! Choisissez-la simple d'utilisation. Vous passerez pour un as des enchaînements.
— Sur cette table, vous brancherez au minimum deux platines CD, une platine K7, un casque et un micro, voire, si vous en avez la nécessité, une platine tourne-disque.

Pour l'éclairage

• Là aussi, c'est un point à ne pas négliger. Les meilleurs danseurs arrivent parfois à s'amuser sous les néons, mais si vous souhaitez faire bouger tout le monde, y compris les timides, il faut absolument créer une ambiance intime et chaleureuse. L'investissement dans quelques spots de couleur verte, rouge ou bleue sera largement récompensé.

• Eclairez un mur faiblement et de manière indirecte.
• Complétez avec un peu de matériel d'animation : le minimum est un modulateur, qui permettra aux spots de suivre le rythme. Cela coûte dans les 300 F en supermarché, et les adolescents qui vous entourent ou le thé dansant de vos parents seront ravis de vous l'emprunter. Vous pouvez compléter votre attirail avec une boule à facettes du plus bel effet ou de la lumière noire (redoutable pour les pellicules et les fausses dents !).
• Bien évidemment, vérifiez tous les câbles, évitez les surcharges sur des multiprises, contrôlez la résistance des compteurs… Et prévoyez lampes de poche et bougies !

Comment installer la sono ?

Une installation correctement effectuée doit respecter quelques principes :
• Le DJ doit voir les personnes qu'il fait danser, de façon à sentir l'ambiance.
• Les deux enceintes acoustiques doivent être le plus éloignées possible l'une de l'autre pour couvrir au mieux la salle ; et à égale distance du D-J pour régler correctement la qualité du son : balance, basses et aigus.
• Le matériel doit être protégé des danseurs trop extravertis et des buveurs émérites. La meilleure solution reste l'installation de deux tables en angle, en veillant à ne pas laisser d'espace pour poser des verres qui pourraient causer de graves dégâts : court-circuit ou CD sucrés au Coca par exemple. Prévoir une petite lampe de bureau à halogène pour travailler sans perturber l'éclairage de la salle.
• Étiqueter et numéroter les platines et les canaux de la table de mixage pour ne pas faire d'erreur lors des enchaînements de morceaux.
• Étaler devant soi en permanence les quatre ou cinq CD qui devront suivre, plus un ou deux morceaux imparables pour pouvoir rattraper au plus vite une erreur ou un trou.

Une sélection d'incontournables

Les morceaux sélectionnés ici fonctionnent depuis plusieurs années et quels que soient les publics. À vous de les accommoder avec les derniers tubes en vogue ou vos tubes personnels.

Pour l'ambiance

En fond pendant l'apéritif ou le repas

- Classic of Jazz/George Benson
- Samba Brasil/Stan Getz et Joao Gilberto
- La leçon de piano (BOF)/Michael Nyman
- Ceux qui m'aiment prendront le train (BOF)/Collectif

Des Rocks

- Soul Man/Blues Brothers (BOF)
- Sweet home Chicago/Blues brothers (BOF)
- Métro c'est trop/Téléphone
- Compile Bleue/Jive Bunny and the Mastermixers
- Suzette/Dany Brillant
- Rock around the clock/Bill Haley
- Jumpin' jack flash/Rolling Stones
- C'est un Rocker/Eddy Mitchell
- Money for Nothing/Dire Straits

Des Rocks plus hard

- Jump/Van Halen
- Down down/Status Quo
- Foreign Affair/Tina Turner
- Bloody Sunday/U2 « under a red blood sky » live

Des Slows

- I'm the great pretender/Freddi Mercury
- 7 seconds/Youssou'n'dour et Neneh Cherry
- No women no cry/Bob Marley
- Georgia/Maceo Parker

Des Valses

- Reine de musette/Danse et passion-Compilation
- Le beau Danube bleu/Orchestre de Vienne

Des Tangos

- En el mundo/Les plus beaux tangos du monde-Compilation
- E' mi Jaca/id.

Du Zouk et des Iles…

- La Collegiala/Son Caribe
- Ala li la/Denis Azor
- Maldon'/Zouk machine
- Rété/Kassav au Zénith
- Soleil/Kassav

De la Salsa

- Mama Mia/Les négresses vertes
- Bodega/Les négresses vertes
- Une fille comme ça/Dany Brillant
- Ray Bareto/La Cuna
- Jumpi/Sergent Garcia

Du Reggae

- Could you be loved/Bob Marley « Legend »
- Brigadier Sabari/Alpha Blondy
- Reggae Night/Jimmy Cliff

De la Dance

- Believe/Cher
- Rythm of the night/Corona : Dance Avenue-Compilation
- Life/Desree
- Scatman/John Scatman
- Life is life/Dance Avenue. Opus-Compilation

Du Rap

- Ça va pas être possible/Zebda
- Le Mia/IAM

Du Disco

- Just an illusion/Imagination. Ultimate disco-Compilation
- YMCA/Village People
- I will Survive/Gloria Gaynor. Ultimate disco-Compilation.

Musiques d'Afrique

- Pata Pata/Miryame Makeba
- Yeke Yeke/Mory Kante
- Yo do le/Angélique Kidjo

Variétés

- Les Cornichons/Nino Ferrer
- Mirza/Nino Ferrer
- Tête en l'air/Jacques Higelin
- Nougayork/Claude Nougaro (version concert)
- Sans contrefaçon/Mylène Farmer à Bercy
- Marcia Baila/Rita Mitsouko
- C'est comme ça/Rita Mitsouko
- Tomber la chemise/Zebda

Raï

- 1, 2, 3, Soleil/Compilation
- Ya' Rayah/Rachid Taha
- Eray/Faudel
- Didi/Khaled

Funk et Groove

- Sex Machine/James Brown
- Get up off that thing/James Brown
- Pass the peas/Maceo Parker
- Soul Power (live)/Maceo Parker

Folk

- Lambé/Matmatha (rock celtique)
- Je t'emmène au vent/Louise Attaque
- Best of/The Pogues

Des disques spécial mariages

- En fouillant chez votre disquaire du côté des compils, des musiques d'ambiance, vous pourrez trouver différents disques à prix moyens où le pire côtoie le meilleur, mais probablement aussi des regroupements de standards.
- N'oubliez pas que les médiathèques se développent de plus en plus, et que l'on y trouve des disques souvent moins connus, mais dignes d'intérêt. Et puis le personnel connaît bien son fonds, ce qui n'est pas le cas partout !
- Elles chantent l'amour/Axelle Red, Patricia Kaas, Liane Foly, Zazie…
- Pour elles/Pascal Obispo, Jean-Louis Murat, Marc Lavoine, Christophe, Claude Nougaro…
- Chansons d'amour/Renaud, Johnny Hallyday, Jean Ferrat, Yves Simon, Michelle Torr…
- Être femme/Sylvie Vartan, Dalida, Lio, Zizi Jeanmaire, France Gall…
- Le plus beau jour, toutes les musiques pour réussir votre mariage
- La fête/La bande à Basile
- Des albums de Carlos, des Charlots…

Cette liste est bien loin d'être exhaustive, chacun pourra l'enrichir en fonction de ses goûts et de l'utilisation qu'il souhaite faire de ces différents morceaux tout au long de la soirée.

Des farces et des attrapes !

Les blagues de noces et banquets ont tendance à sortir des coutumes et us des mariages. Mais certains petits accessoires humoristiques peuvent ajouter un peu de surprise à la fête. Tous se trouvent dans les quelques boutiques spécialisées en articles de fêtes. Le personnel saura toujours vous proposer toute une série de gadgets et blagues adaptés à vos goûts et à votre porte-monnaie.

Pour la décoration

- Des guirlandes en papier de soie, de toutes les tailles, toutes les formes et toutes les couleurs.
- Des suspensions en forme de parapluies, de cloches ou d'éventails.
- Des ballons à gonfler avec une bombe à hélium que l'on peut vous louer (possibilité d'imprimer textes ou dessins sur les ballons).
- Des feux d'artifices.
- Des bombes de table remplies de cotillons.

Pour s'amuser !

- Des langues de belle-mère.
- Des serpentins.
- Des confettis.
- Des petits chapeaux avec élastique.

Des farces

- Fausse coulée de vomi.
- Fausse crotte, dont certaines avec des couinements !
- Des verres baveurs.
- Des sucres piégés : araignées, mouches, asticots, zizis miniatures, volcans en éruption…
- Des bonbons à l'ail, des bonbons qui font pisser bleu ou des dragées au poivre.
- Le célèbre fluide glacial et le coussin péteur.

Sans oublier les fausses éraflures, les traces de bris de verre, les doigts coupés factices… Et tout ce que vous allez trouver en fouinant dans ces boutiques !

Deux derniers conseils :
mettez les enfants dans le coup, et apprenez à courir vite !

Index

Jeux par ordre alphabétique

A

Aimes-tu tes voisins ?, 63
Anneau furet, 71
Anneau sous la table, 70
À quoi ça rime ?, 225
Assieds-toi sur moi, 115
Assis, debout, 64
Assis, debout, chapeau, 172
Avant, après, 147

B

Ballon entre nous, 146
Ballon rasoir, 144
Bébé a faim, 170
Bon prince !, 117
Boule de neige, 94

C

C'est toi, c'est vous, 75
Cartes en questions, 205
Cartes sur table, 203
Cendrillon, 149
Chacun son pot, 61

Charades de mariages, 44
Charades mimées, 47
Citron, citron, citron, 59
Clochemerle, 162
Colin-maillard, 128
Combat de coqs, 159
Comment est mon mari ?, 33
Connaissez-vous Pierre ?, 77
Conversations secrètes, 176
Coucou cocu, 158
Couple confiant, 125
Couples célèbres, 98
Course au trésor, 208
Course aux œufs, 138

D

Dans le sac de la mariée, 182
Danse vis-à-vis, 102
De fil en fil, 134
Des cadeaux en commun, 230
Des farces et des attrapes !, 242
Des gages avec un peu de matériel, 215
Des gages sans aucun matériel, 213
Deviner des chansons d'amour, 202
Deviner des mots d'amour, 201
Deviner l'âge de quelqu'un, 199
Deviner un nombre, 198
Deviner un objet choisi, 200
Devinettes de mariage, 41
Devinettes et énigmes, 220

E, F, G

Écoutez ça !, 188
En avant la musique, 233
Faire un petit discours, 223
Famille contre famille, 160

CHAPTERS 777
TOUT COMMENCE PAR UN LIVRE
1171 STE-CATHERINE O.
MONTREAL, QUE.
(514) 849-8825 Fax (514) 849-3110
GST# R101048478 QST# 1001759571

363069 Reg 5 ID 92 4:35 pm 08/09/01

S VIVE LES MARIES	1 @	21.95	21.95
S 2892496314			
S 100 IDEES POUR AN	1 @	9.95	9.95
S 2501035461			
SUBTOTAL			31.90
TAX: GST - 7%			2.23
TOTAL SALES TAX			2.23
TOTAL			34.13
PAIEMENT COMPTANT			40.13
MONNAIE			6.00

Possibilite de retour ou d'echange,
avec facture, dans les 14 jours
suivant l'achat.

Merci de maganiser chez Chapters.

Farandole sous un balai, 157
Grimaces, 83

J, K
J'aperçois…, 29
Jacques a dit, 26
Je m'appelle, 57
Je me présente, 56
Jeu de l'oie des mariés, 211
Jeux de chats, 39
Kim audio, 186
Kim odeurs, 184

L
L'amiral Nelson, 191
L'anneau et la paille, 79
L'homme, la femme et le rouleau à pâtisserie, 81
L'invité surprise, 50
La belle et le clochard, 137
La bête à quatre jambes, 156
La bise et le bouquet, 24
La bouteille, 133
La bouteille et la bougie, 154
La danse du balai, 105
La danse du tapis, 107
La jarretière, 88
La leçon de conduite, 181
La mariée a perdu la clé de son trousseau…, 31
La minute, 173
La momie, 142
La pièce cachée, 148
La pièce et l'entonnoir, 193
La taupe, 80
Le cerceau et le chapeau, 103
Le champion du couteau, 165
Le chasseur et le canard, 74

Le chef d'orchestre, 108
Le compte est bon, 101
Le corbillon de la mariée, 25
Le garçon de café, 32
Le nœud des amoureux, 129
Le nœud géant, 122
Le panier garni, 90
Le pari des trois verres, 197
Le pari du pont de pièces, 194
Le pari du son voyageur, 196
Le pari du tricolore, 195
Le portrait, 66
Le téléphone arabe, 82
Les chaises musicales, 113
Les cruches musicales, 119
Les deux voleurs, 126
Les doigts dans le nez, 109
Les jambes qui dépassent, 127
Les mariages, 35
Les paris stupides, 197
Les proverbes, 110
Les six assiettes, 156

M, N, O

Ma grand'mère m'a offert…, 38
Majesté, 86
Mare, canards, grand art, 72
Mère, veux-tu ?, 151
Montrer du doigt, 58
Mots couplés, 95
Ni oui ni non, 28
Ôte-toi de là que je m'y mette, 65

P, Q

Parler d'amour, 47
Partenaire aléatoire, 97

Pauvre petit chat malade, 87
Placer une phrase, 174
Plate couture, 171
Pomme de terre balance, 152
Pommes d'amour, 153
Portrait chinois, 67
Portrait initiales, 69
Première rencontre, 177
Quatre chaises, 180
Quatre coins, 41
Quelle famille ?, 114
Quelques textes coquins, 227
Questions dos à dos, 178

R, S, T, U, V, W
Raaaah, lovely !, 116
Relais banane, 132
Relais ping-pong, 131
Renvoi d'ascenseur, 158
Roméo et Juliette, 124
Sel ou poivre, 136
Statues, 143
Tip, tap, top, 60
Tipoter, 36
Travail, voiture, maison, 163
Trimballe-tout, 140
Trio, 123
Trois fois oui, trois fois non, 29
Tu l'as dans le dos !, 96
Un bonbon entre nous, 137
Un, deux, trois, soleil !, 150
Vraoum !, 85
Whisky, Coca, Tonic, 104

DU MÊME AUTEUR

Aux éditions Casterman

- *Jeux de malins*

Avec des illustrations de Frédéric Thiry et des photographies de Richard Collier

- *Le grand livre des Grands-Parents*

Avec des illustrations de Christophe Montagut et des photographies de Richard Collier

- *Faites la fête*

Avec des illustrations de Frédéric Thiry et des photographies de Richard Collier

- *Le grand livre des détectives*

Avec des illustrations de Christophe Montagut

Aux éditions Mango

- *Guide de l'aventure en pleine nature*
- *Le V.T.T.*
- *Sports d'eau*

Traduction de livres de Hugh Mc Manners

- *Casse-tête 10 ans*
- *Casse-tête 11 ans*

Coauteur avec Éric Schmoll

- *Au bord de la mer*

Collection guide nature mode d'emploi
Avec des illustrations d'Élisabeth Bogaert

- *Activités à la montagne*

Avec des illustrations d'Isabelle Calin

Aux éditions de La Martinière Jeunesse

- *Réveillez-vous, les mecs !*

Avec des illustrations de Rémy Tricot

- *L'Adogenda*

Aux éditions Nathan

- *Méga-activités*

Ouvrage collectif

Aux éditions Hors Collection Junior

- *Les meilleurs codes secrets*

Coauteur avec Guillaume Calin et des illustrations de Pic-Lelièvre

Aux éditions du Ricochet

- *13, rue Carença 31000 Toulouse*

Roman collectif, pour adultes

Aux éditions Le temps apprivoisé

- *Les nœuds*

Avec des illustrations de Christophe Montagut et des photographies de Pierre-Louis Douère

1563

Imprimé en Allemagne par Elsnerdruck

pour le compte des
Nouvelles Éditions Marabout
D. L. n° 9512 / février 2001
ISBN : 2-501-03546-1